Martin Brand, Robert Kalimullin

ГУ|TRIP
GA

Nicht verpassen!

2 Schwarzhäupterhaus [D5]
Das Aushängeschild Rigas ist ein reich verzierter Barocksteinbau, der einst einer deutschen Kaufmannsgilde als Sitz diente, im Zweiten Weltkrieg zerstört und erst vor wenigen Jahren wieder aufgebaut wurde (s. S. 18).

8 Petrikirche [E5]
Eines der bedeutendsten Gotteshäuser in Riga, dessen Kirchturm den schönsten Blick über die Dächer der Altstadt bietet. Das Beste: der Fahrstuhl zur Aussichtsplattform (s. S. 21).

16 Domplatz [D5]
Ein kühles Bier im Schatten des geschichtsträchtigen Doms lässt sich im Getümmel des Domplatzes genießen. Bis spät in die Nacht tobt hier im Sommer das altstädtische Leben (s. S. 26).

24 Stadtkanal [E4]
Wie ein grünes Band umschlingt er die Rigaer Altstadt. Einst Teil der mittelalterlichen Festungsanlagen um die Stadt, ist der Stadtkanal heute eine schöne Parkanlage mit dem weithin sichtbaren Freiheitsdenkmal in seiner Mitte (s. S. 33).

28 Lettisches Okkupationsmuseum [E3]
Wenn man ein Museum in Riga besuchen sollte, dann dieses. Es erzählt die tragische Geschichte der drei Besetzungen Lettlands im 20. Jahrhundert (s. S. 39).

33 Christi-Geburt-Kathedrale [F3]
Fünf mächtige, teilvergoldete Kuppeln und prächtige Ikonen: Die Christi-Geburt-Kathedrale ist das wohl eindrucksvollste orthodoxe Gotteshaus in Riga (s. S. 42).

38 Alberta iela [E2]
Die ausgefallenen Jugendstilhäuser sind eines der Wahrzeichen Rigas. Besonders schöne Fassaden gibt es in der Albertstraße zu bewundern (s. S. 45).

40 Zentralmarkt [F6]
Ein Marktbesuch ist ein Muss für all jene, die das geschäftige Leben in Riga jenseits der herausgeputzten Alt- und Neustadt erleben möchten. Hier kauft fast jeder Rigaer regelmäßig ein (s. S. 49).

60 Ethnografisches Freilichtmuseum
Am Ufer eines Sees gelegen, ist hier das historische Lettland im Miniaturformat aufgebaut. Ein Ort zum Ausspannen für die ganze Familie (s. S. 61).

Leichte Orientierung mit dem cleveren Nummernsystem
Die Sehenswürdigkeiten sind im Text und im Kartenmaterial mit derselben **magentafarbenen ovalen Nummer** ❶ markiert. Alle anderen Lokalitäten wie Geschäfte, Restaurants usw. tragen ein **Symbol und eine fortlaufende rote Nummer** (🛍1). Die Liste aller Orte befindet sich auf S. 140, die Zeichenerklärung auf S. 142.

Riga auf einen Blick

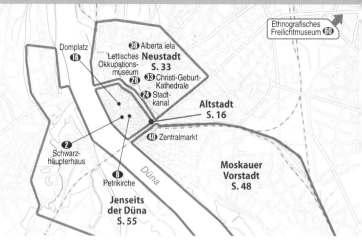

38 Alberta iela
Neustadt S. 33
Domplatz
16
Lettisches
Okkupations-
museum
28
33 Christi-Geburt-
Kathedrale
24 Stadt-
kanal
Altstadt S. 16
40 Zentralmarkt
Ethnografisches
Freilichtmuseum **60**
2 Schwarz-
häupterhaus
Düna
8 Petrikirche
Jenseits der Düna S. 55
Moskauer Vorstadt S. 48

7   Riga entdecken

◁ *Am Schwarzhäupterhaus: der heilige Mauritius als Schutzpatron auf dem Schild (001rg Abb.: lk)*

67 Riga erleben

97 Riga verstehen

109 Praktische Reisetipps

129 Anhang

Zeichenerklärung

- ★★★ nicht verpassen
- ★★ besonders sehenswert
- ★ wichtig für speziell interessierte Besucher

[A1] Planquadrat im Kartenmaterial. Orte ohne diese Angabe liegen außerhalb unserer Karten. Ihre Lage kann aber wie von allen Ortsmarken mithilfe der begleitenden Web-App angezeigt werden (s. S. 143).

Adressangaben, geografische Begriffe

- ❭ bulvāris (Boulevard)
- ❭ iela (Straße)
- ❭ laukums (Platz)
- ❭ tilts (Brücke)

Besonderheiten bei Hausnummern

- ❭ iela 6/8: Hausnr. 6 bis 8
- ❭ iela 11-2: Haus 11, Eingang/Wohnung 2
- ❭ iela 14/16-2: Hausnr. 14 bis 16, Eingang/Wohnung 2

In den vergangen Jahren hat sich die Silhouette Rigas beträchtlich verändert: Links der Düna erheben sich nun weithin sichtbar die Lettische Nationalbibliothek (s. S. 56) und die Zwillingstürme Z-Towers (s. S. 108), von denen einer mit 135 Metern das höchste Gebäude Rigas ist. Am rechten Ufer lädt eine neue Promenade zu Spaziergängen ein. Doch auch neue Museen und hippe Orte entstehen in der inzwischen 815-jährigen Stadt:

Neues Trendviertel

Das Fabrikgelände der ehemaligen Brauerei Stritzky wird unter jungen Menschen ein immer angesagterer Ort, um Rigaer Nächte durchzumachen. Die Klubs und Bars befinden sich unweit der bei der Kreativszene der Stadt beliebten Miera iela (s. S. 58).

Kunst in modernem Gewand

Im Frühjahr 2016 hat das Lettische Nationale Kunstmuseum nach langjähriger Renovierung wieder seine Säle mit lettischer, russischer und baltischer Malerei geöffnet (s. S. 43).

KGB-Haus

Erst seit dem Kulturhauptstadtjahr 2014 kann das ehemalige Gebäude des sowjetischen Geheimdienstes besichtigt werden. Eine Gelegenheit, die sich weder Einwohner noch Touristen entgehen lassen (s. S. 68).

Markt im Kalnciems-Viertel

Stetig wachsender Beliebtheit erfreut sich auch der Wochenmarkt in Pardaugava. Inmitten malerischer Holzhäuser gibt es regionale ökologische Produkte und jede Menge Slow-Food-Stände (s. S. 88).

004rg Abb.: mb

RIGA ENTDECKEN

Riga für Citybummler

Riga ist für Gäste leicht zu erschließen. Fast alle Orte, die für Touristen von besonderem Interesse sind, liegen zentral und können bequem zu Fuß erkundet werden. Riga ist auch nicht anstrengend: In der historischen Altstadt finden sich jede Menge Lokale und Biergärten zum Pausieren, und um die Altstadt herum zieht sich ein Gürtel von Grünanlagen und Parks. Kurz: Riga ist bestens geeignet für einen individuellen Citybummel zu bekannten Sehenswürdigkeiten und versteckten Kleinoden.

Die wichtigsten Sehenswürdigkeiten und Ziele für Riga-Touristen befinden sich in der Altstadt, an dem an sie angrenzenden Boulevardring und in der sich daran anschließenden Neustadt. Man erreicht sie **bequem zu Fuß** und ist deshalb nicht unbedingt auf den öffentlichen Nahverkehr angewiesen.

In der **historischen Altstadt** finden Besucher nicht nur bedeutende Sehenswürdigkeiten wie das Schwarzhäupterhaus **2**, die Petrikirche **8** oder den Dom **17**, sondern jede Menge Kneipen, Bars und Restaurants, ein lebhaftes Nachtleben sowie unzählige Läden für Bernsteinschmuck, lettisches Kunsthandwerk und andere Souvenirs.

Eine von Besuchern oft genutzte Straße ist die **Kaļķu iela** [D/E5], die vom Rathausplatz **1** durch die Altstadt bis zum Freiheitsdenkmal **27** führt. Das Denkmal steht am Stadtkanal **24**, einer grünen Oase um die Altstadt herum, und am Boulevardring mit seinen repräsentativen Gebäuden im Stil des Historismus wie der

Nationaloper **25** oder dem Nationalen Kunstmuseum **35**. Mit der **Straßenbahn Nr. 7** lässt sich die Altstadt umrunden – vom Nationaltheater **36** im Norden bis zum Zentralmarkt **40** im Süden.

Wer Riga wegen seiner weithin bekannten **Jugendstilbauten** besucht, findet diese in der **Neustadt,** vor allem in der Alberta iela (Albertstraße) **38** und der Elizabetes iela (Elisabethstraße) **39**. Nicht vergessen werden sollten aber auch die Jugendstilvillen in der Gartenstadt Mežaparks **58** und im Seebad Jūrmala **62**. Ihren ganz eigenen Reiz haben auch die vielen **Holzhäuser,** die es bis heute in Riga gibt, vor allem in der Moskauer Vorstadt (s. S. 48), auf der Insel Ķīpsala **50** sowie an weiteren Orten jenseits der Düna (s. S. 55).

Zu den Sehenswürdigkeiten außerhalb der Altstadt und der Neustadt empfiehlt es sich, **mit der Straßenbahn, dem Bus oder dem Trolleybus** zu fahren.

Rigas **kreative Szene** tummelt sich auf der **Miera iela **56**. In den letzten Jahren haben sich dort und in der näheren Umgebung zahlreiche Kunstgalerien, kreative Werkstätten, eigenwillige Geschäfte, Cafés und Klubs angesiedelt – und manche sind auch schon wieder verschwunden. Mit der Straßenbahnlinie 11 gelangt man vom Zentrum aus in einer guten Viertelstunde dorthin.

Wer ein **ruhiges Riga jenseits des Touristentrubels** in der Innenstadt sucht, dem seien Ausflüge in die Moskauer Vorstadt, auf die Insel Ķīpsala **50** oder auf die linke Seite der Düna empfohlen. Dort finden sich durchaus charmante Viertel, die nicht an jeder Ecke herausgeputzt sind, dafür aber ihr ganz eigenes Flair entwickeln.

◁ *Vorseite: Dolce Vita in den Gassen von Rigas Altstadt*

011rg Abb: lk

Riga an einem Wochenende

Wer Riga für ein Wochenende besucht, den erwartet ein abwechslungsreiches Programm: In der alten Hansestadt, die zum UNESCO-Weltkulturerbe zählt, locken eine historische Altstadt mit Kopfsteinpflastergassen, alte Kontore und Speicher, farbenfrohe Jugendstilbauten und der osteuropäische Charme eines riesigen Marktes für Fisch, Fleisch, Obst oder Gemüse. Von dort beziehen auch viele der unzähligen Rigaer Restaurants ihre Lebensmittel, um sie frisch zuzubereiten. Und selbst für Badeurlauber hat Riga mit kilometerlangen, feinen Sandstränden in unmittelbarer Nähe einiges zu bieten.

EXTRAINFO

Stadtspaziergang

Wer nur einen Tag Zeit hat oder **die schönsten Ecken Rigas** an einem Tag **zu Fuß erkunden** möchte, dem sei der Stadtspaziergang (s. S. 14) ans Herz gelegt. Er führt per pedes durch die Altstadt, das Jugendstilviertel und die um den Stadtkern gelegenen Grünanlagen.

1. Tag: Hanseatisches Flair und Jugendstil

Vormittags

Ein Wochenende in Riga beginnt natürlich in der **historischen Altstadt.** Sie erstreckt sich am linken Ufer der Düna (lettisch: Daugava) auf gerade einmal einem Quadratkilometer, ist aber für Touristen und Einheimische gleichermaßen der Anziehungspunkt schlechthin. Dennoch findet man hier auch fast menschenleere kleine Gassen.

Die wichtigste Achse durch die Altstadt bildet die Kaļķu iela [D/E5], die sich vom **Freiheitsdenkmal ㉗** bis zum **Rathausplatz ❶** zieht. Der Rathausplatz ist ein guter Ausgangspunkt zur Erkundung der Altstadt. Für einen ersten Eindruck lohnt es sich, von hier zu den anderen repräsentativen Plätzen der Altstadt, zum **Livenplatz ⓯** und zum **Domplatz ⓰**, zu

⌂ Entspanntes Sightseeing: Straßenmusikerin am Rande der Altstadt

007rg Abb.: lk

laufen. Orientiert man sich dann an den großen Gotteshäusern der Rigaer Altstadt, dem **Dom ⑰**, der **Petrikirche ⑧** und der **Johanniskirche ⑨**, hat man zumindest das Herz des historischen Stadtkerns schon ganz gut erkundet. Vom Turm der Petrikirche, in dessen Spitze man per Aufzug gebracht wird, eröffnet sich ein imposanter Blick über die Dächer des alten Rigas.

Davon, dass Riga eine **alte Hansestadt** ist, zeugen noch heute viele Speicher und Handelshäuser. Am südöstlichen Rand der Altstadt stehen zahlreiche **Speicherhäuser ⑥** aus dem 16. und 17. Jahrhundert. Sehenswert sind auch die **Drei Brüder ⑲** mit dem ältesten Handelshaus im Norden der Altstadt aus dem 17. Jahrhundert in prächtigem Barockstil erbaute **Reuternhaus ⑦**, das als Kontor, Wohnung und Warenlager diente.

Überbleibsel der **alten Festungsanlage** um Rigas Altstadt lassen sich ebenfalls besichtigen: Die markanteste Erscheinung dieser alten Festungsanlage ist der **Pulverturm ㉓** am Nordrand der Altstadt, in dem sich heute

das durchaus sehenswerte Kriegsmuseum befindet. An ihn schließt sich die **Fußgängerzone Torņa iela ㉒** mit Überresten der alten Stadtmauer an. Das **Rigaer Schloss ㉑** im äußersten Nordwesten der Altstadt gehört zwar auch zur ehemaligen Festungsanlage, ist aber weniger beeindruckend. Dafür findet sich mit dem **Labais krasts** (s. S. 81) neben dem Schloss etwas versteckt ein gemütlicher **Biergarten** mit Blick auf die Düna.

Nach dem Rundgang durch die Altstadt bietet sich ein **Mittagessen** in einem der vielen Restaurants der Altstadt an, zum Beispiel in einem feinen, aber doch erschwinglichen Lokal mit lettischer und internationaler Küche.

Nachmittags

Der Nachmittag steht ganz im Zeichen des **Jugendstils**. Zwar gibt es auch in der Rigaer Altstadt die einen oder anderen Jugendstilbauten, die glanzvollsten Häuser aus der kurzen Bauphase vom Anfang des 20. Jahrhunderts bis zum Beginn des Ersten Weltkriegs stehen jedoch in der **Al-**

berta iela (**Albertstraße**) **38** und der **Elizabetes iela** (**Elisabethstraße**) **39** in Rigas **Neustadt**. Rigas Architektur steht den Zentren des Jugendstils wie Paris, Brüssel, Barcelona oder Wien in nichts nach. Vor allem die Bauwerke von Michail Eisenstein (s. Exkurs S. 47) sind exzentrische, oft fotografierte Meisterwerke der Architektur.

Eindrücke aus dem Inneren einer Jugendstilwohnung bekommt man im **Schuhladen Madam Bonbon** (s. S. 85) in der Albertstraße, in dem die feilgebotenen Damenschuhe dekorativ in den einzelnen Zimmern verteilt sind, sowie im **Jugendstilmuseum** (s. S. 72).

Bevor es für den Abend zurück in die Altstadt geht, empfiehlt sich auf dem Rückweg noch ein Besuch der **Galleria Riga** (s. S. 85). Denn auf dem Dach der Einkaufsgalerie befindet sich eine Terrasse, von der man bei einem kühlen Bier oder fruchtigen Cocktail einen herrlichen Blick über Riga genießen kann.

Abends

Das **Rigaer Nachtleben** tobt vor allem in der Altstadt. Weil es im Sommer abends noch zu später Stunde hell ist, sind die Kneipen, Biergärten, Klubs und Restaurants im Herzen Rigas am Abend oft bis auf den letzten Platz gefüllt. Dicht an dicht findet sich für jeden Geschmack die richtige Örtlichkeit.

Im gemütlichen **Folkklubs Ala Pagrabs** (s. S. 82) gibt es mitreißende lettische Livemusik, im **Cuba Café** (s. S. 81) Cocktails und auf dem **Livenplatz** **15** oder dem **Domplatz** **16** gleich mehrere Biergärten. Zu fortgeschrittener Stunde lassen sich Konzerte auch im **Shot Cafe** (s. S. 82) erleben. Traditionell lettisches Essen und heimisches Bier bekommt man in der

KURZ & KNAPP

Der Boulevardring

Der sogenannte Boulevardring umrundet die **Grünanlagen** an Rigas Stadtkanal **24** zwischen Alt- und Neustadt. Der Ring verläuft entlang von Elizabetes iela, Kronvalda bulvāris und Zigfrīda Annas Meierovica bulvāris.

Taverna (s. S. 76) in der Nähe des **Pulverturms** **23**. Angesagte Partys finden in den Klubs und Kneipen unweit der Miera iela **55** statt.

2. Tag: Geschichte und Grünanlagen

Vormittags

Am zweiten Tag kann man noch einmal entspannt durch die Altstadt spazieren, denn in den verwinkelten Gassen trifft man auch nach einigen Tagen in Riga immer wieder auf vorher unentdeckte, zauberhafte Nischen. Im eleganten **Jugendstilrestaurant Konvents** (s. S. 78) im **Eckes Konvent** **12** gibt es ein üppiges Frühstück zu passablen Preisen.

Ab 11 Uhr ist das **Lettische Okkupationsmuseum** **28** geöffnet. Wer das heutige Lettland verstehen möchte, sollte unbedingt die Ausstellung über die für viele Letten traumatische Erfahrung der Besatzungsregime besuchen. Anschaulich und aufwühlend wird Lettlands Schicksal unter der Okkupation durch die Sowjetunion bis 1940, unter Nazi-Deutschland von 1941 bis 1944 und unter der erneuten Besatzung durch die Sowjetunion bis 1991 dokumentiert.

◁ *Flanieren auf dem von Cafés umgebenen Domplatz* **16**

Nachmittags

Wer vor den Nachmittagsaktivitäten schnell eine Kleinigkeit essen möchte, kann in die günstige **Selbstbedienungsbar XL Pelmeni** (s. S. 75) gehen, wo es diverse Sorten gefüllter Teigtaschen gibt, die zu den traditionellen Gerichten der osteuropäischen Küche gehören.

Dann kann man sich aufmachen, die Sehenswürdigkeiten jenseits der Altstadt zu entdecken: Das nicht zu übersehende **Freiheitsdenkmal ㉗** bietet dafür den idealen Ausgangspunkt. Von hier lassen sich die Grünanlagen rund um die Altstadt erkunden; vor allem entlang des **Stadtkanals ㉔** und im **Wöhrmannschen Garten ㉛** lohnt ein Spaziergang. Am Boulevardring zwischen Alt- und Neustadt stehen zudem sehenswerte repräsentative Bauten vom Ende des 19. Jahrhunderts wie die **Nationaloper ㉕**, das **Nationale Kunstmuseum ㉟** oder das **Nationaltheater ㊱**. In die weithin glänzende russischorthodoxe **Christi-Geburt-Kathedrale ㉝** sollte man auch unbedingt einen Blick werfen.

Bei einer **Bootstour auf dem Stadtkanal ㉔** und über die Düna kann man sich um die historische Altstadt Rigas fahren lassen – ein Erlebnis, das einen ganz neuen Blick auf die Hansemetropole eröffnet. Im **Teehaus Apsara** am Stadtkanal (s. S. 79) lässt es sich anschließend lässig bei einem Eistee oder Kaffee entspannen.

Danach kann man sich wieder ins Getümmel stürzen und den **Zentralmarkt ㊵** besuchen. Hier beeindrucken das lettisch-osteuropäische Markttreiben auf der riesigen Freifläche und in den fünf Markthallen. Aber aufgepasst: Gegen 18 Uhr schließt der Markt. Wer dann noch Muße hat, kann die nur wenige Fußminuten hinter dem Zentralmarkt gelegene **Jesuskirche ㊶** besuchen, die vollständig aus Holz errichtet wurde.

◹ *Entspannen im Grünen: auf den Wiesen am Stadtkanal ㉔*

◺ *Badespaß pur verspricht das beliebte Seebad Jūrmala ㉒*

Abends

Am Abend kann man sich erneut ins **quirlige Nachtleben** der Rigaer Altstadt stürzen. Alternativ bietet sich ein Kulturabend mit **Opern-, Konzert- oder Kinobesuch** (ab S. 83) an. Die **Lettische Nationaloper㉕** ist nicht nur als Gebäude von außen und innen sehenswert, auch die Opern- und Ballettaufführungen genießen einen guten Ruf – und dank der englischen Übertitel kann man dem Geschehen auch als ausländischer Gast folgen.

Im Kino laufen die meisten Filme im Original mit lettischen und russischen Untertiteln. Ein Besuch des beeindruckenden, einem Theater gleichenden **Kino Rīga㉜** muss deshalb keineswegs an der Sprachbarriere scheitern.

009rg Abb.: ik

3. Tag: Raus aus der Stadt

Wer ein verlängertes Wochenende in Riga plant und noch einen Tag mehr Zeit hat, dem seien auch einige sehenswerte Orte außerhalb des Rigaer Stadtzentrums ans Herz gelegt. An heißen Tagen fahren viele Rigaer in das vor den Toren der Stadt gelegene **Seebad Jūrmala㊽**, das mit kilometerlangen Sandstränden und zahlreichen Jugendstilvillen aus Holz lockt.

Wer abschalten möchte, fährt hinaus ins **Ethnografische Freilichtmu-**

Das gibt es nur in Riga

›	*Jede Menge Jugendstil:* Mancher Rigaer behauptet, nirgendwo gäbe es so viele nackte Frauen wie in seiner Stadt - gemeint sind die vielen Statuen an den Jugendstilfassaden. Ob Riga wirklich den Rekord hält, sei dahingestellt, jedenfalls kann es die Stadt an der Düna locker mit anderen Jugendstilmetropolen wie Barcelona oder Wien aufnehmen.

›	*Die meisten Lieder:* Statistisch kommt auf jeden Letten ein eigenes Lied in seiner Muttersprache. Um die Bewahrung der lettischen Volkslieder, der sogenannten Dainas (s. Exkurs S. 29), machte sich

mit Johann Gottfried Herder auch ein deutscher Philosoph verdient, an den Riga sich mit einem Denkmal❶ erinnert.

›	*Der größte Markt des Baltikums:* Der Rigaer Zentralmarkt㊵ ist in imposanten Hallen untergebracht. Errichtet wurden sie ursprünglich, um Luftschiffe zu beherbergen.

›	*Der erste Weihnachtsbaum:* Riga nimmt für sich in Anspruch, 1510 den ersten Weihnachtsbaum der Welt besessen zu haben (s. Exkurs S. 17). Das behauptet zwar auch das estnische Tallinn, was Riga aber nicht davon abhält, am Rathausplatz❶ an das Ereignis vor mehr als 500 Jahren zu erinnern.

seum **60**, wo man nicht nur durch einen großen Park mit vielen alten Holzhäusern schlendern, sondern auch eine Menge über das bäuerliche Leben im Lettland der letzten Jahrhunderte lernen kann. Man kann die Zeit vor der Rückreise aber auch für einen romantischen Spaziergang nutzen, entweder auf der **Insel Ķīpsala 50** mit Blick über die Düna auf die Rigaer Altstadt oder in der von Touristen kaum beachteten **Moskauer Vorstadt** (s. S. 48), die, obwohl unter den Rigaern etwas verrufen, mit alten Holzhäusern ihren ganz eigenen Charme verströmt.

Stadtspaziergang

Wer Riga von seiner schönsten Seite kennenlernen möchte, folgt einfach diesem etwa vierstündigen Stadtspaziergang. Er führt durch die verwinkelten Gassen der Altstadt zum unvergleichlichen Jugendstilviertel und über den grünen Gürtel um Rigas historischen Stadtkern herum zum Symbol der lettischen Unabhängigkeit, dem Freiheitsdenkmal.

Ausgangspunkt ist der **Rathausplatz 1**, der als Marktplatz bis ins 19. Jahrhundert hinein das wirtschaftliche und administrative Zentrum der Hansestadt war. An ihn grenzen das in voller Pracht erstrahlende **Schwarzhäupterhaus 2**, das inzwischen zum **Wahrzeichen Rigas** geworden ist, und ein schwarzes, kas-

Routenverlauf im Stadtplan
Der hier beschriebene Spaziergang ist mit einer farbigen Linie im Stadtplan eingezeichnet.

tenförmiges Gebäude, in das nach Fertigstellung eines weißen Anbaus wieder das sehenswerte **Okkupationsmuseum 28** Einzug finden soll.

Besucher der Stadt erhalten in der **Touristeninformation** im Schwarzhäupterhaus (s. S. 18) eine Menge nützlicher Tipps für den Aufenthalt in der Stadt.

Der Weg führt Richtung Osten weiter zur **Petrikirche 8**, einem der bedeutendsten Sakralbauten Rigas, von deren Turm sich ein eindrucksvoller Rundblick über die Dächer der Altstadt und den Lauf der Düna (Daugava) bietet. Hinter der Petrikirche steht in der Skārņu iela ein **Denkmal für die Bremer Stadtmusikanten**, das von Rigas Partnerstadt Bremen gestiftet wurde.

Durch eine enge Gasse zwischen Johanniskirche **9** und Eckes Konvent **12** gelangt man in den von altem Gemäuer umgebenen **Johannishof (Jāna sēta) 10**. Hier und auf dem benachbarten **Konventhof 11** lässt es sich wunderbar in den **engen Gassen** flanieren und die Atmosphäre des mittelalterlichen Stadtkerns aufsaugen, bevor es zum gegenüberliegenden Ausgang auf die Kaļķu iela geht. Folgt man dieser nach links, gelangt man zum gar nicht so alten **Livenplatz 15**, um den herum sich jede Menge Cafés, Restaurants und Kneipen gruppieren. An der Nordseite des Livenplatzes steht ein Haus, dessen Katzen auf dem Dach viele Passanten erheitern.

Von dort gelangt man links über die Zirgu iela zum über 800 Jahre alten **Rigaer Dom 17** mit seinem belebten **Domplatz 16**. Hinter dem Kirchenbau erinnert eine kleine Büste **18** auf dem Herdera laukums an den deutschen Philosophen Johann Gottfried Herder, der einst an der Domschule wirkte.

Über die Bīskapa gāte und rechts der Miesniku iela folgend, gelangt man zur Mazā Pils iela, in der sich die **Drei Brüder**  befinden, ein sehenswertes Gebäudeensemble dreier alter Handels- und Wohnhäuser. Folgt man von hier der Jēkaba iela nach links, gelangt man zum traditionsreichen Rigaer **Chocolatier Kuze** (s. S. 79). In dem kleinen Café gibt es nicht nur Tee, Kaffee oder heiße Schokolade, sondern auch köstliche handgemachte Pralinen. Nach einer kleinen Pause gelangt man dann über die **Torņa iela** ㉒, eine kleine Fußgängerzone mit vielen Souvenirläden und Restaurants, zum Schwedentor. Vom angrenzenden **Pulverturm** ㉓, einem Überbleibsel der Rigaer Stadtbefestigung, in dem sich heute ein Museum über die lettischen Kriege befindet, gelangt man in die Parkanlage des **Stadtkanals** ㉔, der ebenfalls einst zur Befestigungsanlage um die Altstadt gehörte. Dem Fahrradweg folgend, überquert man den Kanal und gelangt durch die Reimersa iela zur **Esplanade** ㉞.

Die Esplanade ist eine der großen Grünflächen um Rigas Altstadt. An ihren Rändern stehen die sehenswerte, weithin goldgelb erstrahlende russisch-orthodoxe **Christi-Geburt-Kathedrale** ㉝ und das **Lettische Nationale Kunstmuseum** ㉟.

Ist die Esplanade durchquert, geht es auf der **Elizabetes iela** ㊴ Richtung Norden ins **Jugendstilviertel**. Links gelangt man nun in die **Alberta iela** ㊳ – hier entfaltet sich die ganze Pracht der Rigaer Jugendstilbauten. An der Ecke zur Strēlnieku iela [E1] gibt es ein kleines, sehr sehenswertes **Jugendstilmuseum** (s. S. 72).

Richtung Westen über die Strēlnieku iela, in der weitere Jugendstilbauten des großen Architekten

Michail Eisenstein (s. Exkurs S. 47) stehen, gelangt man in den **Kronvaldspark** ㊲. Von hier folgt man dem **Stadtkanal** bis zum **Freiheitsdenkmal** ㉗, das hoch in den Himmel ragt und in den 1930er-Jahren aus Stolz auf die errungene Unabhängigkeit Lettlands errichtet wurde. Vom Freiheitsdenkmal sind es nur noch wenige Meter **zurück in die Altstadt**: Über die Kaļķu iela gelangt man zum Startpunkt des Spaziergangs.

△ Rigas grüne Lunge:
der Stadtkanal ㉔

Erlebenswertes in der Altstadt

Nur etwa einen Quadratkilometer ist Rigas Altstadt (lettisch Vecrīga bzw. Vecpilsēta) groß und hat auf dieser Fläche dennoch eine Menge zu bieten. Geprägt wird ihre Silhouette von drei hohen Kirchtürmen mit ihren charakteristischen Wetterhähnen. Rund um die Petrikirche sind die mittelalterlichen Wurzeln der Stadt erhalten geblieben. Neben engen Gassen haben Stadtplaner und Kriege drei repräsentative Plätze geschaffen. Zwischen hanseatischen Gebäuden finden sich auch in der Altstadt Meisterwerke des Jugendstils. Und während manche Straßen vor Geschäftigkeit nur so brummen, scheint im alten Speicherviertel teilweise die Zeit stehen geblieben zu sein. Es versteht sich fast von selbst, dass die Altstadt in ihrer Gesamtheit ins Weltkulturerbe der UNESCO aufgenommen wurde.

❶ Rathausplatz ★★ [D5]

Der Rathausplatz (Rātslaukums) ist einer der wichtigsten und meistbesuchten Plätze in Riga. Für viele Gäste ist er Ausgangspunkt für die Besichtigung der Düna-Metropole. Eine zentrale Bedeutung für die Stadt hat er bereits seit jeher.

An der Stelle des Rathausplatzes befand sich seit dem 13. Jahrhundert der **Marktplatz** Rigas. Hier wurde gehandelt, hier war bis ins 19. Jahrhundert hinein das wirtschaftliche und administrative Zentrum der Stadt. Vom Balkon des Rathauses wurden Gesetze für die Stadt verlesen, am Rathausplatz wurde Recht gesprochen und es wurden Urteile vollstreckt: Lange übte hier der Scharfrichter sein blutiges Handwerk aus.

Am nördlichen Rand des Platzes steht das **Rathaus** (Rātsnams) von Riga, das erst im Jahr 2003 erbaut wurde. Im Gegensatz zum **gegenüberliegenden Schwarzhäupterhaus ❷**, das originalgetreu wiederaufgebaut wurde, entschied man sich beim Rathaus für eine Architektur, die klassische und moderne Elemente verbindet. In einer überdachten Einkaufspassage hinter dem Rathaus, die zuvor eine gewöhnliche kleine Gasse war, befindet sich ein jahrhundertealter Eichenstamm, der bei den Bauarbeiten ans Tageslicht kam.

Im Zentrum des Rathausplatzes steht die **Rolandstatue**. Das Standbild eines Ritters mit Schwert und

☑ *Im Herzen der Dünametropole: der belebte Rathausplatz*

025rig A >b.: mb

Schild in der Hand thront auf seinem Sockel als Sinnbild der Freiheitsrechte des städtischen Bürgertums. Bereits im 15. Jahrhundert stellten Rigas Bürger wie in vielen nord- und ostdeutschen Städten eine Rolandsfigur aus Holz auf ihrem Marktplatz auf. Bei der heutigen Rolandsfigur handelt es sich um eine Nachbildung, deren 1894 geschaffenes Original in der nur wenige Schritte entfernten **Petrikirche ❽** steht.

Im Winkel zwischen dem Schwarzhäupterhaus und dem alten (und nach der Renovierung wieder neuen) Standort des Okkupationsmuseums ❷❸ erinnert eine **in den Boden eingelassene Metalltafel** an eine kleine Kuriosität: In Riga, so ist man zumindest hier überzeugt, soll 1510 der erste Weihnachtsbaum der Welt auf dem heutigen Rathausplatz aufgestellt worden sein (s. Exkurs unten).

❯ Rātslaukums

Der erste Weihnachtsbaum der Welt?

*Als im Dezember 1510 einige Männer aus der Rigaer Bruderschaft der Schwarzhäupter die **Feierlichkeiten zur Wintersonnenwende** vorbereiteten, planten sie ein besonders spektakuläres Fest. Wie zur Sommersonnenwende im Juni sollte das Ereignis mit einem großen Feuer zelebriert werden. Dafür wollten die Männer die größte Tanne, die sie finden konnten, aus dem Wald holen und am Ufer der Düna verbrennen.*

*Gesagt, getan: Ein Holzfäller brachte eine **wahrhaft riesige Tanne** aus den umliegenden Wäldern nach Riga. Sie war so groß, dass den Schwarzhäuptern Zweifel kamen - wenn man sie verbrennen würde, könnte das Feuer möglicherweise auf nahe liegende Gebäude übergreifen. Doch was tun mit der riesigen Baum?*

Es waren Kinder, denen die entscheidende Idee ganz spielerisch kam: Sie schmückten die imposante Tanne mit Nüssen und Äpfeln, mit Wollfäden, Bändern und Kränzen. Als die Erwachsenen das Ergebnis sahen, waren sie so begeistert, dass sie beschlossen, die Tanne als Weihnachtsbaum im Stadtzentrum aufzustellen. Dort,

*am Rathausplatz ❶, erinnert heute eine **Plakette im Pflaster** an den ersten Weihnachtsbaum der Welt.*

*Heute, mehr als 500 Jahre später, lässt sich die historische Wahrheit dieser Geschichte nicht mehr zweifelsfrei von den später hinzugekommenen Legenden trennen. Fest steht: Die Erfindung des Weihnachtsbaums reklamieren **mehrere Städte in Europa** für sich. Als Riga 2010 den **500. Geburtstag des ersten Weihnachtsbaums** feierte, beglückwünschte der Bürgermeister der estnischen Hauptstadt Tallinn seinen Rigaer Amtskollegen - allerdings mit dem Hinweis, dass in Tallinn bereits 1441 ein Weihnachtsbaum gestanden habe und man schon dessen 569. Jahrestag feiere. In Freiburg im Breisgau rühmt man sich gar eines Weihnachtsbaums aus dem Jahr 1419.*

*Da allerdings in Freiburg die **Original-Quelle nicht mehr erhalten** und in Tallinn die Interpretation der mittelhochdeutschen Quelle, in der von einem „bom" gesprochen wird, umstritten ist, können Rigaer Lokalpatrioten weiterhin an ihrer Version der Geschichte festhalten.*

067rg Abb.: fo @:melann411

❷ Schwarzhäupterhaus ★★★ [D5]

Das Schwarzhäupterhaus (Melngalvju nams) am Rigaer Rathausplatz ❶ ist eines der schönsten und vielleicht das meistfotografierte Gebäude der Stadt. Der reich verzierte Backsteinbau ist inzwischen zum Symbol schlechthin für Riga geworden – man kann sich kaum vorstellen, dass das Schwarzhäupterhaus vom Zweiten Weltkrieg bis in die 1990er-Jahre hinein im Antlitz der Stadt fehlte.

EXTRAINFO

Das **Lettische Okkupationsmuseum** ❷❽ hatte seinen Sitz bisher im schwarzen, kastenförmigen Gebäude am Rathausplatz ❶. Weil es renoviert und erweitert werden soll, ist die Ausstellung gegenwärtig in der Neustadt untergebracht. Doch seit Jahren wird nur über den Umbau gestritten, ohne dass bisher mit den Arbeiten begonnen wurde.

Erstmals urkundlich erwähnt wurde das Schwarzhäupterhaus bereits im Jahr 1334, damals noch als „Neues Haus der Großen Gilde". Die **Compagnie der Schwarzen Häupter,** eine Vereinigung von zumeist deutschen Kaufleuten in Riga, mietete das heute nach ihr benannte Haus seit 1477, bevor es 1713 in ihren Besitz überging. Damals wie heute diente das Schwarzhäupterhaus als Ort für festliche und repräsentative Zusammenkünfte.

„Sollt ich einmal fallen nieder, so errichtet mich doch wieder!", stand einst an die Fassade des Gebäudes geschrieben. Tatsächlich wurde das Schwarzhäupterhaus durch den Beschuss deutscher Truppen während des Zweiten Weltkriegs stark beschädigt und schließlich **1948 gesprengt.** Wieder aufgebaut wurde es aber bis zur Unabhängigkeit Lettlands 1991 nicht. Erst danach besann man sich in Riga der Aufforderung aus vergan-

⌃ *Das Schwarzhäupterhaus;*
im Hintergrund die Petrikirche ❽

genen Zeiten und begann damit, das Schwarzhäupterhaus wieder originalgetreu zu errichten.

Bis 1999 dauerten die **Rekonstruktionsarbeiten**. Nun erstrahlt das Schwarzhäupterhaus in neuem Glanz, wobei die Frage im Raum steht, ob durch den Wiederaufbau historisches Erbe gesichert oder seelenloser Kitsch geschaffen wurde.

Heute residiert der **lettische Präsident** in den reich geschmückten Festsälen des Schwarzhäupterhauses, nachdem der alte Amtssitz im Rigaer Schloss ausgebrannt ist. Daher lassen sich die **sehenswerten Innenräume und das alte Kellergewölbe** derzeit leider nicht besichtigen. Neben den Amtsräumen des Präsidenten beherbergt das Schwarzhäupterhaus auch die **Touristeninformation** (s. S. 117).

> Melngalvju nams, Rātslaukums 7, www.melngalvjunams.lv

❸ Mentzendorffhaus ★★ [E5]

Vom Rathausplatz ❶ sind es nur wenige Schritte zum 1695 erbauten Mentzendorffhaus (Mencendorfa nams), in dem eine Ausstellung den Besucher in einen **Bürgerhaushalt des späten 17. Jahrhunderts** versetzt. Sehenswert sind auch die bei der Restaurierung freigelegten Wand- und Deckengemälde. Benannt ist das Haus nach dem **Kaufmann August Mentzendorff**, der es 1884 erwarb und dessen Erben sich finanziell an der Restaurierung beteiligten. Im Mentzendorffhaus hat der **Verein Domus Rigensis** seinen Sitz, der sich als deutschbaltisch-lettische Initiative für die Pflege des Kulturerbes einsetzt.

> Mencendorfa nams, Grēcinieku iela 18, www.mencendorfanams.com, Mai– Sept. tgl. 10–17 Uhr, Okt.–April Mi.–So. 11–17 Uhr, Eintritt: 1,42 €, erm. 0,71 €

LiteraTour

Wer Rigas Altstadt und Parks auf ganz besondere Weise erleben möchte, sollte den **Schauspieler und Übersetzer Matthias Knoll** auf seinen **Lesewanderungen durch Riga** begleiten. Knoll führt nicht einfach durch die Stadt, er macht sie lebendig, schauspielert, rezitiert Gedichte und liest aus den Büchern lettischer Autoren. Die LiteraTour öffnet das Tor zur Gedankenwelt Lettlands und ist bei allem Anspruch durchweg unterhaltsam. Damit sich während der gut zwei Stunden niemand die Beine in den Bauch steht, bringt Knoll für sein Publikum nicht nur Bücher, sondern auch einen Schwung **Klapphocker** mit. Die LiteraTouren finden nicht regelmäßig, sondern ausschließlich auf Anfrage statt.

> LiteraTour, Buchung auf Anfrage, Infos unter www.literatur.lv

027rg Abb.: mb

❹ Dannensternhaus ✯ [E6]

Das 1696 errichtete Dannenstern-haus (Dannenšterna nams) in der Mārstaļu iela ist ein eindrucksvolles Beispiel der **Barockarchitektur** jener Zeit. Leider ist es gegenwärtig trotz seines Status als Architekturdenkmal dem Verfall preisgegeben.

Ursprünglich gehörte das Haus einem holländischen Kaufmann, der seinen Namen von Dannenstern erst später vom schwedischen König verliehen bekam.

Heute könnte das Dannenstern-haus dringend einen finanzstarken Investor gebrauchen. Es besteht eigentlich aus drei Gebäuden, denn hinter der zur Straße sichtbaren Fassade verbergen sich noch **zwei Hofgebäude**. Neben seiner Funktion als **Wohn- und Geschäftsgebäude** musste das Dannensternhaus aufgrund der beengten Verhältnisse in der Rigaer Altstadt über Jahrhunderte zugleich als **Speicher** herhalten.

❯ **Dannenšterna nams**, Mārstaļu iela 21

❺ Peitav-šul-Synagoge ✯ [E6]

Als Zentrum jüdischer Kultur ist seit alters die litauische Hauptstadt Vilnius bekannt, was ihr den Beinamen „Jerusalem des Ostens" eingebracht hat. Weniger bekannt ist, dass heute in Riga die **größte jüdische Gemeinde des Baltikums** mit schätzungsweise 9000 Mitgliedern ansässig ist.

Unter den einst zahlreichen jüdischen Gotteshäusern an der Düna überlebte den Zweiten Weltkrieg als einzige die in der Altstadt gelegene Peitav-šul-Synagoge. Dass die 1905 nach Art des **Jugendstils** unter Verwendung **ägyptischer Motive** fertiggestellte Synagoge im Zweiten Weltkrieg nicht von der deutschen Besatzung niedergebrannt wurde, hatte einen einfachen Grund: Die Nazis fürchteten, dass die Flammen auf benachbarte Gebäude übergreifen könnten. So überstand die Synagoge die Kriegsjahre als Lagerhalle. Sogar die **Torarolle** blieb erhalten. Ein Pfarrer einer benachbarten reformierten Kirche soll die rettende Idee gehabt haben, die Ostwand der Synagoge, wo die Torarolle aufbewahrt wurde, einfach zuzumauern.

Trotz einer restriktiven sowjetischen Religionspolitik diente die Synagoge nach dem Krieg wieder der jüdischen Gemeinde als Gotteshaus und war sogar eine von nur vier Synagogen in der ganzen Sowjetunion, die einen Chor unterhielt. Ihr baulicher Zustand verschlechterte sich jedoch zunehmend. Erst in den Jahren 2007 und 2008 wurde sie schließlich renoviert.

❯ **Rīgas sinagoga Peitav šul**, Peitavas iela 6/8, www.jews.lv, Sa. geschlossen

❻ Speicherhäuser ✯✯ [E5]

Seinen ganz eigenen Reiz hat ein **kleines Viertel** am südöstlichen Rand der Rigaer Altstadt, wo zahlreiche Speicherhäuser aus dem 16. und 17. Jahrhundert erhalten sind.

Fast als Geheimtipp gelten darf die charmante **Alksnāja iela**, zu Deutsch Erlenstraße. Nur wenige Touristen verirren sich in die schmale Gasse, die zwischen dem imposanten Reuternhaus ❼ und der barocken Reformierten Kirche (die in der ersten Hälfte des 18. Jahrhunderts erbaut wurde und übrigens selbst lange Zeit als Speicher diente) von der Mārstaļu iela abzweigt. Dabei kann die Alksnāja iela neben ihren zahlreichen Baudenkmälern auch als eine kleine **Kulturmeile** gelten: Sie beherbergt mit dem **Lettischen Fotografiemuseum** (s. S. 71), dem **Rigaer Filmmuseum** (s. S. 72) und dem Sportmuseum gleich drei Museen, von denen insbesondere die ersten beiden sehr liebevoll gestaltet und sehenswert sind.

Daneben finden sich in dem Viertel, zu dem auch die abzweigende **Vecpilsētas iela** [E5/6] gezählt werden kann, mehrere Galerien und gemütliche Cafés. Weitere sehenswerte, teils leider auch heruntergekommene Speicherhäuser befinden sich in der **Peitavas iela** [E6].

> Alksnāja iela, Vecpilsētas iela

🔼 *Auch vom Konventhof sieht man den Turm der Petrikirche* ❽

❼ Reuternhaus ⭐ [E5]

Ein prächtiges Barockgebäude in saniertem Zustand steht mit dem 1688 fertiggestellten Reuternhaus (Reiterna nams) in der Mārstaļu iela. Bauherr und Namensgeber war **Johann Reutern** (1635–1698). Reutern war vom schwedischen König in den Adelsstand erhoben worden und entsprechend zeigt das Haus auch seine Liebe zu Schweden: Symbolisch besiegt der schwedische Löwe dort in einer Darstellung den russischen Bären. Heute ist im Reuternhaus eine Rockbar untergebracht.

> **Reiterna nams,** Mārstaļu iela 2

❽ Petrikirche ⭐⭐⭐ [E5]

Die Petrikirche (Svētā Pētera baznīca) gilt als wichtigster Sakralbau Rigas. Ihr Turm ist das höchste Bauwerk der Altstadt und prägt deren Silhouette. Besuchen sollte man die Petrikirche nicht zuletzt auch wegen des grandiosen Rundblicks, der sich von ihrer Spitze bietet.

Mit der Petrikirche ist es wie mit so manch anderen Bauwerken aus den frühen Jahren der Rigaer Stadtgeschichte: Am Anfang steht eine Jahreszahl in einer Urkunde. 1209 wurde das Bauwerk erstmals erwähnt. Welche Gestalt die Kirche zu jenem Zeitpunkt hatte, lässt sich allerdings aus der Jahreszahl nicht herauslesen. Es wird jedoch vermutet, dass sie erst in der zweiten Hälfte des 13. Jahrhunderts eine steinerne Gestalt bekam.

Auch das weitere Schicksal ist in gewisser Weise typisch: Über die Jahrhunderte folgten An- und Umbauten sowie Zerstörungen und Wiederaufbau, sodass die Petrikirche gewissermaßen ein **Patchwork an Baustilen**, insbesondere **Gotik und Barock,** darstellt. Aus der ersten Bauphase im 13. Jahrhundert sind die Außenwände der Seitenschiffe erhalten, daneben einige Innenpfeiler. Die zweite Bauphase begann im frühen 15. Jahrhundert, als ein neuer Chor errichtet wurde. Im Zuge der Reformation in Riga wurden viele wertvolle Kunstschätze in den Kirchen der Stadt zerstört, darunter in der Petrikirche auch ein Altarbild von Albrecht Dürer. In der dritten Bauetappe im 17. Jahrhundert erhielt die Petrikirche eine barocke Prägung.

Im 17. Jahrhundert entstand auch der **Turm der Petrikirche**, der in der Folge jedoch mehrere Male durch Blitzschlag und Krieg beschädigt werden sollte. Zuletzt wurde der Turm

Wetterhähne auf Kirchtürmen

Sie gehören zu den Wahrzeichen Rigas: die Hähne auf den Turmspitzen von Petrikirche ❽, Dom ⓱, Johanniskirche ❾ und St.-Jakobs-Kathedrale ⓴. Warum ein Hahn und kein Kreuz? Die genaue Bedeutung ist unklar, sicher ist jedoch, dass die Hähne als **Wetterfahnen** auch einem praktischen Zweck dienten. Auf der symbolischen Ebene steht der Hahn sinnbildlich für den **nahenden Tag** und die Überwindung der Nacht, historisch auch für die **Reformation**.

029rg Abb.: rk

1941 beim deutschen Vormarsch im Zweiten Weltkrieg zerstört und erst 1973 wieder aufgebaut (1984 wurde die Restaurierung der Kirche abgeschlossen). Dass der Turm jedoch vor 1941 insgesamt 195 Jahre lang unversehrt blieb, war für abergläubische Menschen bereits ein kleines Wunder: Beim Wiederaufbau 1746 warf der Baumeister, einer alten Tradition folgend, einen Weinbecher von der Spitze – die Anzahl der Scherben sollte vorhersagen, wie viele Jahre der Turm stehen werde. Da jedoch in diesem Moment ein Heuwagen vorbeifuhr, landete der Becher sanft und blieb wohl in einem Stück, so die Legende.

Insgesamt 123 Meter ragt die Turmspitze mit ihrem **Wetterhahn** heute in den Rigaer Himmel, die **Aussichtsplattform** in 71 Meter Höhe, die mit einem Fahrstuhl zu erreichen ist, bietet einen wunderbaren Rundblick über die Stadt an der Düna.

Das Innere der Petrikirche ist infolge der vielen Zerstörungen verhältnismäßig schmucklos. Interessant ist ein **Grabstein für die Blaue Garde**, deren Mitglieder der Rigaer Bürgerschaft entstammten und im Gegensatz zur Grünen Garde unverheiratet waren. Jüngeren Datums ist der **hölzerne Altar**, ein Geschenk anlässlich des 800. Geburtstags der Stadt Riga im Jahr 2001, der eine Kopie des Vorkriegsaltars darstellt.

Direkt vor der Petrikirche steht ein Denkmal für die **Bremer Stadtmusikanten**. Es ist ein Geschenk aus Rigas Partnerstadt Bremen, das die traditionell engen Verbindungen zwischen den beiden alten Hansestädten symbolisieren soll.

❭ **Svētā Pētera baznīca**, Skārņu iela 19, www.peterbaznica.riga.lv, geöffnet: Mai–Aug. Di.–Sa. 10–19, So. 12–19 Uhr,

Sept.–April Di.–Sa. 10–18, So. 12–18 Uhr, Kassenschluss jeweils eine halbe Stunde vorher, Eintritt: 9 €, erm. 7 €

❾ Johanniskirche ⋆ ⋆ [E5]

Die Johanniskirche (Jāņa baznīca) steht im Herzen des historischen Zentrums von Riga. Ihre Wurzeln reichen in die Zeit des Stadtgründers Bischof Albert zurück, ihr heutiges Antlitz erhielt sie im Laufe etlicher bewegter Jahrhunderte.

Wann genau der Grundstein für den ersten Vorgängerbau der Johanniskirche gelegt wurde, ist unbekannt. Anfang des 13. Jahrhunderts verlegte **Bischof Albert von Buxthoeven** (1165–1229) seine Residenz hierher und möglicherweise stand an der Stelle der heutigen Johanniskirche zu jener Zeit die Kapelle der Bischofsburg. Alberts Nachfolger Nikolaus verlegte die Residenz und vermachte die Bischofsburg dem Dominikanerorden. Die **Dominikaner** waren es dann auch, die hier eine Kirche errichteten, deren erste indirekte urkundliche Erwähnung ins Jahr 1297 fällt.

Umfangreiche Umbau- und Erweiterungsarbeiten an der Kirche fanden Ende des 15. Jahrhunderts statt. Nachdem der Rigaer Stadtrat im Jahre 1523 den Dominikanerorden auflöste, diente die Johanniskirche für einige Zeit weltlichen Zwecken, unter anderem als **Scheune und Waffenlager,** bis der polnische König Stephan Báthory sie 1582 der lettischen Gemeinde zuwies. Am 29. September 1582 fand erstmals ein lettischer Gottesdienst in der Kirche statt.

Zu einer erneuten Erweiterung des Gotteshauses kam es 1587. Nachdem sie bei einem Brand im Jahre 1677 stark litt, wurde sie 1680 reno-

viert und erhielt einen neuen Turm. Zu den **Kuriositäten der Kirche** zählt die beim Blick auf den Altar linkerhand gelegene **Galerie:** Bei näherem Hinsehen fällt auf, dass zu ihr keine Treppe führt und sie auch keine Eingangstür besitzt. Dies wird damit erklärt, dass sie für Gottesdienstbesuche von Häftlingen aus einem nahe gelegenen Gefängnis diente.

❯ **Jāņa baznīca,** Jāņa iela 7, www.janabaznica.lv

❿ Johannishof ⋆ [E5]

Der Johannishof (Jāņa sēta) scheint sich zwischen Johanniskirche ❾ und Eckes Konvent ⓬ zu verstecken. Unmittelbar neben der alten Ordensburg Bischof Alberts aus den Anfangstagen Rigas liegt der Zugang zum Hof, der durch eine schmale Gasse und das Tor eines alten Dominikanerklosters führt, vor dem gerne auch Straßenmusikanten spielen. Auf dem Gelände des Johannishofs wurde im 16. Jahrhundert die **erste lettische Schule** eröffnet. Im Sommer lässt es sich hier gut im **Biergarten** mit Blick auf ein restauriertes Stück der alten **Stadtmauer** entspannen. Vom Johannishof aus führt ein Durchgang zum angrenzenden **Konventhof ⓫**.

❯ **Jāņa sēta,** Eingang von der Skārņu iela

⓫ Konventhof ⋆ ⋆ [E5]

Direkt links neben Eckes Konvent ⓬ führt ein kleiner Durchgang in den Konventhof (Konventa sēta), der alternativ auch über einen Eingang in der Kalēju iela zu erreichen ist. Das Areal mit seinen **schmalen Gassen und gemütlichen Höfen** zählt zur Keimzelle des alten Rigas: Hier stand die alte Ordensburg, die 1297 von den Rigaer Bürgern im Zuge von

Auseinandersetzungen zwischen der Stadt und dem Deutschen Orden zerstört wurde, was zum Bau des Rigaer Schlosses ❷ an seinem heutigen Standort führte.

Dem 1226 von Bischof Albert gegründeten **Konvent zum Heiligen Geist** oblag die Betreuung von Hilfsbedürftigen. Nach Zerstörung der Burg errichtete der Konvent 1330 den Konventhof an seiner jetzigen Stelle. Vom 15. Jahrhundert bis zur Reformation befand sich im Hof auch ein Kloster, seit Mitte des 16. Jahrhunderts wurden die Gebäude nur noch als Wohnraum und Speicher genutzt.

Nach mehreren Bränden und Umbauten erhielt der Konventhof Anfang des 18. Jahrhunderts seine heutige Gestalt. Zum Ende der sowjetischen Epoche war das Areal vollends verfallen und musste **in den 1990er-Jahren aufwendig saniert** werden. Nun ist in mehreren Häusern am Konventhof ein **Hotel** (s. S. 125) untergebracht, dazwischen gibt es einige **Cafés und Souvenirläden**. Die Häuser am Konventhof tragen Namen, die an ihre frühere Nutzung erinnern.

> **Konventa sēta**, Eingang u. a. über Kalēju iela 9/11

❿ Eckes Konvent ★   [E5]

Das 1435 errichtete dreistöckige Gebäude in der Skārņu iela, direkt neben der Johanniskirche ❾, diente ursprünglich als Herberge für Wanderer. Seinen Namen Eckes Konvent (Ekes Konvents) erhielt es nach dem **Ratsherrn Nikolaus Ecke,** der hier 1592 ein Asyl für ältere Frauen begründete. Ecke hatte in der Stadtbevölkerung einen denkbar schlechten Ruf; man warf ihm vor, sich öffentliche Gelder in die eigene Tasche zu

wirtschaften. Mit dem Bau des Asyls versuchte Ecke offenbar, die Gemüter zu besänftigen.

Das **Sandsteinrelief in der Fassade** wurde vermutlich 1612 in Nürnberg geschaffen. Das Motiv zeigt die Geschichte von Jesus und der Sünderin, aus der die berühmten Worte „Wer ohne Sünde ist, werfe den ersten Stein" überliefert sind. Auch dies war wohl keine ganz zufällige Anspielung auf das Verhältnis zwischen Ecke und der Stadtbevölkerung.

> **Ekes Konvents,** Skārņu iela 20/22

⓭ Museum für dekorative Kunst und Design ★★   [E5]

Lettische Gebrauchskunst und regelmäßig wechselnde, eindrucksvolle Mode- und Designausstellungen ausländischer Künstler sind im ältesten Steingebäude Rigas zu bestaunen. Die ehemalige St.-Georgs-Kirche diente erst als Gotteshaus, dann als Speicher und beherbergt seit 1989 das Museum für dekorative Kunst und Design.

Über drei Etagen erstrecken sich die Ausstellungsräume. Im Erdgeschoss sind **ambitionierte Sonderausstellungen** zu sehen, die zwei- bis dreimal im Jahr wechseln und historische Modekollektionen und Designobjekte meist ausländischer Künstler zeigen. Weniger spektakulär, aber dennoch sehenswert ist die **Dauerausstellung** des Museums in der zweiten und dritten Etage. Sie gibt einen Überblick über **Kunst und Kultur in Lettland vom Ende des 19. Jahrhunderts bis heute** und präsentiert die wichtigsten Stile und Richtungen der jeweiligen Kunstperioden. Die ausgestellte **Gebrauchskunst** umfasst von Textilien, Keramik und Porzellan über Leder-, Metall- und Holzarbeiten bis hin zu Schmuck und Designerobjekten alle Arten dekorativer Kunst.

Auch das Gebäude des Museums ist bemerkenswert, denn es erlebte fast die gesamte 800-jährige Geschichte der Stadt Riga. 1205 wurde an dieser Stelle erstmals eine Kapelle erwähnt, weswegen die St.-Georgs-Kirche als **ältestes Gebäude der Stadt** gilt. Nach einem Brand diente sie einige Zeit auch als Hospital, bis man nach der Reformation im Jahr 1554 begann, das katholische Gotteshaus für wirtschaftliche Zwecke in Gebrauch zu nehmen. Fortan nutzten Kaufleute, die mit Hanf, Leinen und Bauholz handelten, die St.-Georgs-Kirche. Im 17. Jahrhundert wurden mehrere Holzdecken in das Gebäude eingezogen, sodass es als **Speicher** Verwendung fand. Bis in die 1980er-Jahre hinein diente die ehemalige Kirche als Lagerhaus, dann wurde das Gebäude umfangreich restauriert und zu einem Museum umgestaltet.

> **Dekoratīvās mākslas un dizaina muzejs**, Skārņu iela 10/20, www.lnmm.lv/en/ dmdm, geöffnet: Di. u. Do.–So. 11–17, Mi. 11–19 Uhr, Eintritt: Dauerausstellung 2,50 €, erm. 1 €, Sonderausstellungen 3,50 €, erm. 2 €

⑭ Wagner-Konzertsaal ★ [E5]

Die Richard-Wagner-Straße (Riharda Vāgnera iela) in Rigas Altstadt trägt ihren Namen nicht zufällig: Der deutsche Komponist **Richard Wagner** (1813–1883) war in den Jahren 1837 bis 1839 als Dirigent in Riga und wirkte in dem heute nach ihm benannten Konzertsaal im Haus Nr. 4. In Riga begann Wagner an der Oper „Rienzi" zu arbeiten, die sein erster großer Opernerfolg werden sollte. Doch die Schulden, vor denen Wag-

ner aus dem ostpreußischen Königsberg ins russische Riga geflohen war, holten ihn schon bald wieder ein. Auf der Flucht vor seinen Gläubigern verließ er die Stadt überstürzt Richtung London. Die stürmische Überfahrt auf einem Segelschiff brachte ihm allerdings ein weiteres Mal Inspiration, diesmal für den 1843 uraufgeführten „Fliegenden Holländer".

Der Wagner-Konzertsaal lässt sich **derzeit leider nur von außen besichtigen**. Was mit den Räumlichkeiten geschehen soll, ist unklar: Lettische Medien berichten von Plänen, wonach dort ein lettisch-deutsches Kulturzentrum eingerichtet werden soll.

> Vāgnera koncertzāle, Riharda Vāgnera iela 4

⑮ Livenplatz ★★ [E5]

Der Livenplatz (Līvu laukums) ist ein junger Platz – sowohl seinem eigenen Alter nach als auch angesichts des Publikums, das sich hier in den zahlreichen Freiluftrestaurants, Cafés und Kneipen versammelt. Angelegt wurde der Livenplatz 1974 vom Landschaftsarchitekten Kārlis Barons. Bis zu den Zerstörungen des Zweiten Weltkriegs war die Fläche dicht bebaut gewesen.

Zu den eindrucksvollsten Gebäuden am Livenplatz zählen die **Gildehäuser**. Der **Kleinen Gilde** (Mazā ģilde), auch bekannt als St.-Johannis-Gilde, gehörten früher **Handwerker** an, der **Großen Gilde** (Lielā ģilde) oder St.-Marien-Gilde **Kaufleute**. Seit dem 14. Jahrhundert entwickelte sich das Gildenwesen in Riga lebhaft. Über Jahrhunderte prägten die Gilden das wirtschaftliche Leben in der Stadt, formal bestanden sie sogar bis zum Jahr 1939 fort. Lange Zeit war die Mitgliedschaft nur Deutschen vorbehalten. Die jetzt als Kleine Gilde und Große Gilde bekannten Häuser an der Westseite des Livenplatzes entstanden allerdings erst in der zweiten Hälfte des 19. Jahrhunderts. In der **Großen Gilde** aus dem Jahr 1858 finden heute **Konzerte** statt (s. S. 83), die **Kleine Gilde** (1866) kann im Rahmen von **Führungen** besucht werden.

Einen Bezug zu den Gildehäusern hat auch das sogenannte **Katzenhaus** (Kaķu nams), erbaut im Jahre 1909 an der Nordseite des heutigen Livenplatzes. Ein lettischer Kaufmann soll über seine Nichtaufnahme in die Gilde so verärgert gewesen sein, dass er die Katzenfigur auf dem Dach den Gildehäusern den Hintern zeigen ließ. Später musste die Katze der Legende zufolge nach einem Gerichtsentscheid umgedreht werden.

Aus dem Jahr 1882 stammt das Gebäude des **Russischen Theaters** (s. S. 83) an der Südseite des Livenplatzes/Ecke Richard-Wagner-Straße. Die erste Spielzeit fand im Oktober 1883 statt, womit es nach eigenen Angaben sowohl das älteste professionelle Theater in Lettland als auch das älteste russische Dramatheater außerhalb Russlands ist.

› Līvu laukums
› **Mazā ģilde**, Amatu iela 3/5, www. gilde.lv/maza, geführte Besichtigung des Gebäudes möglich, Kontakt siehe Website

⑯ Domplatz ★ ★ ★ [D5]

Der Domplatz (Doma laukums) gehört zu den jüngeren Plätzen in Rigas Altstadt – und versammelt gleichzeitig eine ganze Reihe historischer Gebäude um sich. Auch eines der sehenswertesten Rigaer Kunstmuseen liegt am Domplatz.

Ein Sonnenschirm neben dem anderen in den zahlreichen **Biergärten:** So zeigt sich der Domplatz seinen Besuchern im Sommer. Man könnte meinen, schon im Mittelalter hätten sich die Rigaer bevorzugt auf dem **großflächigen Platz** im Angesicht des mächtigen Doms ⑰ versammelt – und könnte gröber nicht irren. Erst Ende des 19. Jahrhunderts wurde der Platz in seiner heutigen Form angelegt, wofür mehrere mittelalterliche Häuser weichen mussten.

1936 wurden weitere Häuser nahe des Doms abgerissen, denn der damals schon autoritär herrschende lettische Präsident Kārlis Ulmanis (1877–1942) wollte wie die faschistischen Herrscher Deutschlands und Italiens auf einem großen Platz zum Volk sprechen. Durch Kriegsschäden wurde der Platz dann noch einmal größer.

030rg Abb.: mb

⏩ *Ein lauer Sommerabend auf dem Domplatz* ⑯

▷ *Vorbildlich: Riga hat seine Börse zu einem sehenswerten Kunstmuseum umgebaut (s. S. 71)*

Das wohl beeindruckendste Haus am Domplatz ist die **Rigaer Börse**, mit deren Bau 1852 begonnen wurde. Heute ist in dem Gebäude ein **Kunstmuseum** (Mākslas muzejs Rīgas Birža, s. S. 71) untergebracht. Sehenswert ist zudem das von der Börse aus rechter Hand gelegene **Haus des Lettischen Rundfunks,** von dessen Balkon aus Ulmanis seine Ansprachen hielt.

Von der Mitte des Platzes, wo eine **ins Pflaster eingelassene Tafel** an die Aufnahme Rigas ins UNESCO-Weltkulturerbe erinnert, sind die Hähne auf den Turmspitzen von gleich drei Rigaer Kirchen zu sehen (s. S. 22).

> Doma laukums

⑰ Dom ★ ★ ★ [D5]

Der altehrwürdige Rigaer Dom (Rīgas Doms) hat mehr als acht Jahrhunderte Stadtgeschichte miterlebt. Er gehört nicht nur zu den sehenswertesten Kirchen der Hansemetropole, sondern dank seiner besonderen Orgel auch zu den hörenswertesten.

Rigas Stadtgründer Bischof Albert persönlich legte 1211 den Grundstein für den Rigaer Dom, auch bekannt als **Marienkirche.** Dass die Kirche auf alten kurischen Gräbern errichtet war, sollte erst sieben Jahrhunderte später ans Licht kommen. Im Dom begraben liegt **Bischof Meinhard von Segeberg** (um 1130–1196), der im 12. Jahrhundert als Missionar in Livland tätig war und von der katholischen Kirche 1993 heiliggesprochen wurde.

Wie Rigas andere Kirchen wurde auch der Dom nicht in einer Nacht errichtet, sondern im Laufe von Jahrhunderten erbaut, was sich in **Baustilen von Romanik über Gotik bis zu Renaissance und Barock** ausdrückt. Bis zum Zusammenbruch Livlands als Teil des Deutschordensstaates im Jahr 1561 war die Domkirche die Hauptbischofskirche von Livland.

1595 erhielt die Domkirche einen 140 Meter hohen Turm – und war damit sogar höher als der heutige Turm der Petrikirche ❽. Dieser hielt immerhin bis 1776 stand; dann war sein Holz zu morsch geworden und der Turm musste einer bescheideneren Konstruktion von 90 Metern Höhe weichen. Mehrfach wurde die Kirche vom Wasser der Düna überflutet, woran eine **Gedenktafel** erinnert.

O23rg Abb.: rk

Der große Stolz des Rigaer Doms ist seine **Orgel**: Bei ihrer Fertigstellung 1884 galt sie als größte der Welt. Bis heute lohnt sich der Besuch eines Orgelkonzerts im Rigaer Dom. Sehenswert sind auch die **Glasmalereien** im Dom, die Ende des 19. Jahrhunderts in Werkstätten in Riga, München und Dresden entstanden.

Neben dem Dom ließ Bischof Albert ein **Kloster** errichten, das mit dem Dom über einen **Kreuzgang** verbunden wurde. Auf einer Länge von 118 Metern umschließt er den ehemaligen Innenhof des Klosters. Heute kann der Kreuzgang besichtigt werden; in ihm sind allerlei Exponate aus mehreren Jahrhunderten Rigaer Stadtgeschichte ausgestellt.

> **Rīgas Doms,** Herdera laukums 6, www. doms.lv, geöffnet: Juli–Sept. tgl. 9–18, außer Mi. u. Fr. 9–17 Uhr; Okt.–Juni tgl. 10–17 Uhr, Eintritt: 3 €

🔞 Herder-Denkmal ⭐ [D5]

Unweit des belebten Domplatzes 🔟 gelegen, ist der kleine **Herderplatz** (Herdera laukums) eine **Oase der Ruhe** in der Rigaer Altstadt. Man wünschte sich im Schatten der zwei Eichen eine kleine Sitzbank, um an der Seite des **Denkmals für Johann Gottfried Herder** (1744–1803) Rast machen zu können und vielleicht sogar in Gedanken Zwiesprache mit dem Philosophen zu halten. Der Ort für das Denkmal ist nicht zufällig gewählt: In unmittelbarer Nähe unterrichtete Herder an der Domschule in Riga, an die er 1764 berufen wurde. Fünf Jahre dauerte Herders Rigaer Zeit, in der er nicht nur an der Domschule tätig war, sondern auch als Pfarradjunkt an der Jesuskirche 🔢 und der Gertrudenkirche wirkte.

Herders Zeit in Riga sollte in doppelter Hinsicht fruchtbar sein: Der junge Philosoph und Schriftsteller verfasste und publizierte hier seine ersten wichtigen Schriften. Herder interessierte sich aber auch für das kulturelle Erbe der Letten und machte sich um das **Studium der Volkslieder, der Dainas** (s. Exkurs rechts), verdient. Seine Philosophie spielte

◁ *Der Kreuzgang im Rigaer Dom* 🔟

Ein Lied für jeden Letten

Lettland ist ein **Land der Lieder.** Etwa 1,2 Millionen lettische Volkslieder, **Dainas,** soll es geben - beinahe eines für jeden Muttersprachler. Meist sind die Dainas vierzeilig und viele Jahrhunderte alt. Sie sind Grundlage und Bestandteil der lettischen Kultur, geistige Heimat des lettischen Volkes und ein Spiegel des menschlichen Daseins, des Laufs der Zeit und der Welt der Götter. Sie erzählen von der Liebe und den Mühen der alltäglichen Arbeit, in ihnen werden Hochzeiten und Trinkgelage besungen, Bräuche und Mythen vertont.

Warum dichteten die Letten ein so reichhaltiges Repertoire an Volksmusik? Die Erklärung liegt in der schicksalhaften Geschichte der Letten. Über Jahrhunderte dominierte die **deutsche Oberschicht** das kulturelle Leben, Letten waren meist **leibeigene Bauern** oder gehörten zur **Unterschicht in den Städten.** Wer zu höherer Bildung kam, wurde als Deutscher assimiliert. So blieb die Entwicklung einer lettischen Hochkultur bis zur Mitte des 19. Jahrhunderts unterdrückt und die Letten widmeten ihr schöpferisches Potenzial der Dichtung von mündlich überlieferten Dainas.

Als Erste interessierten sich die deutschen Romantiker für das lettische Liedgut. **Johann Gottfried Herder** (1744-1803) veröffentlichte Ende des 18. Jahrhunderts lettische Dainas in seinem berühmten Buch „Stimmen der Völker in Liedern". Als das nationale Bewusstsein der Letten Mitte des 19. Jahrhunderts zunahm, begannen die Vorkämpfer der lettischen Unabhängigkeitsbewegung, die Volkslieder als lettisches Kulturgut zu sammeln. Zum „Vater der lettischen Dainas" wurde der Hauslehrer und Schriftsteller **Krišjānis Barons** (1835-1923).

Barons ließ sich aus allen Teilen des Landes Dainas von seinen Landsleuten zuschicken. Aus den Zuschriften legte er die bis heute **bedeutendste Sammlung lettischer Volkslieder** an, die er in einem eigens angefertigten Schrank mit zahlreichen Schubladen und Fächern sammelte und klassifizierte. Zwischen 1894 und 1915 veröffentlichte Barons 220.000 Volkslieder in sechs Bänden. So machte er die Dainas zum identitätsstiftenden nationalen Kulturerbe Lettlands.

Der **Daina-Schrank** ist heute ein nationales Heiligtum in Lettland. Eine Kopie und die Erstausgabe von Barons Daina-Sammlung sind in einem kleinen Liebhabermuseum in Barons letzter Wohnung (Krišjāņa Barona iela 3/5) zu besichtigen.

eine bedeutende Rolle, als in den folgenden Jahrzehnten die Letten wie auch viele andere vormals kolonisierte Völker Mittel- und Osteuropas ihr „nationales Erwachen" erlebten. Dabei konnten sie sich auf die außerordentliche Wertschätzung Herders für die Muttersprache eines jeden Menschen berufen.

Ein Denkmal errichtete man Herder in Riga erstmals 1864 zum 100. Jahrestag seiner Ankunft. Nachdem die Büste im sowjetischen Riga nach dem Zweiten Weltkrieg zunächst verschwinden musste, erhielt sie ihren Platz 1959 zurück, als sich eine Delegation aus der DDR ankündigte.

❯ Herdera laukums

033rg Abb.: ik

Haus mit der Nummer 19. Der jüngste Bruder in der Nummer 21 (Zugang über Nr. 19) beherbergt das **Lettische Architekturmuseum**. Der Eintritt in das Museum ist frei und lohnt sich, um einen Eindruck vom **Innenleben eines mittelalterlichen Wohnhauses** zu bekommen. Sehenswert ist auch der **Hinterhof** der „Drei Brüder", den man über den Eingang zum Architekturmuseum erreicht.

> Trīs brāļi, Mazā Pils iela 17, 19 und 21
> Lettisches Architekturmuseum (Latvijas Arhitektūras muzejs), Mazā Pils iela 19 (Eingang), www.archmuseum.lv, Tel. 67220779, geöffnet: Mo. 9–18, Di.–Do. 9–17, Fr. 9–16 Uhr, Eintritt: frei

⑲ Drei Brüder ★★ [D4]

Ihren Namen „Drei Brüder" (Trīs brāļi) haben die Häuser an der Mazā Pils iela einem **Gebäudeensemble** in der estnischen Hauptstadt Tallinn entlehnt, das unter dem Namen „Drei Schwestern" bekannt ist. Die Rigaer Brüder sind dabei im Gegensatz zu den Tallinner Schwestern keine Drillinge, sondern unterschiedlichen Alters.

Der älteste Bruder ist das Haus mit der Nummer 17, das sich gleichzeitig mit dem Titel des **ältesten Wohnhauses in Riga** schmücken darf. Sein Bau wird ins späte 15. Jahrhundert datiert. Interessanterweise hat dieses Haus noch einen kleinen Abstand zur Straße, der für steinerne Bänke genutzt wurde – in späteren Jahrhunderten wurde hingegen jeder Zentimeter Baufläche ausgenutzt.

Der sowohl vom Alter als auch vom Standort her mittlere Bruder ist das

🔼 *Wachen seit Jahrhunderten in Rigas Altstadt: die Drei Brüder*

⑳ St.-Jakobs-Kathedrale ★[D4]

Die heute katholische St.-Jakobs-Kathedrale (Svētā Jēkaba katedrāle) blickt auf eine wechselvolle Geschichte zurück. Das um 1225 im **romanischen Stil** errichtete und später um hauptsächlich **gotische Elemente** ergänzte Gotteshaus war seit der Reformation protestantisch. Predigten wurden dort zu unterschiedlichen Zeiten auf Deutsch, Schwedisch, Lettisch oder auch Estnisch gehalten.

Als die Regierung während der ersten Unabhängigkeit Lettlands eine **Rückgabe** der St.-Jakobs-Kathedrale **an die katholische Kirche** plante, formierte sich dagegen Widerstand, der 1923 im ersten Referendum des jungen Staates mündete. Mehr als 200.000 Wähler, das heißt mehr als 99 Prozent der Teilnehmer des Urnengangs, stimmten gegen die Rückgabe – allerdings hatten deren Befürworter auch zum Boykott aufgerufen. Mit Erfolg: Die erforderlichen mindestens 400.000 Stimmen wurden verfehlt und das Gotteshaus der katholischen Kirche übergeben.

Um die **Glocken** der St.-Jakobs-Kathedrale rankt sich die **Legende**, dass sie immer dann läuteten, wenn eine untreue Ehefrau vorbeilief. Die Erzählung lässt sich möglicherweise auf die traurige Funktion der Glocken zurückführen, die läuten mussten, wenn auf dem Rathausplatz eine Hinrichtung anstand.

❯ **Svētā Jēkaba katedrāle,** Jēkaba iela 9, www.catholic.lv/katedrale

㉑ Rigaer Schloss ☆ [C4]

Von verheerenden Bränden wissen die Chroniken vieler Städte zu berichten. In Riga blieb das Schloss (Rīgas pils) lange von solchen Katastrophen verschont, bis in der Nacht zum 21. Juni **2013 sein Dachstuhl in Flammen aufging.** Die Prunksäle im Nord- und Ostflügel wurden teilweise zerstört. Unmengen von Löschwasser fluteten die Exponate des **Nationalen Geschichtsmuseums Lettlands,** das im Schloss untergebracht war. Der Brand brach ausgerechnet während der Renovierung aus.

Seit 1995 diente das Schloss dem **lettischen Staatsoberhaupt** als **offizieller Amtssitz** und beherbergte eine umfangreiche Ausstellung zur Geschichte Lettlands. Während der Präsident wegen der Renovierungsarbeiten bereits vor dem Brand seine provisorische Residenz im Schwarzhäupterhaus ❷ bezogen hatte, befindet sich das **Nationale Geschichtsmuseum Lettlands** nun in einem ehemaligen Universitätsgebäude in der Neustadt (s. S. 70).

Das Rigaer Schloss blickt auf eine **bewegte Geschichte** zurück: Im Konflikt des Deutschen Ordens mit den Rigaer Bürgern wurde eine erste Burg im Stadtzentrum 1297 zerstört, ein 1330 am heutigen Standort errichte-

tes Schloss verwüstete man im Jahr 1448 erneut – und baute es Jahrzehnte später wieder auf. Ab Mitte des 16. Jahrhunderts nutzten offizielle Repräsentanten der jeweiligen Herrscher aus Polen (1578–1621), Schweden (1621–1710) und Russland (1710–1917) das Schloss, bis Lettland schließlich das erste Mal unabhängig war (1918–1940) und der lettische Präsident hier residierte.

❯ **Rīgas pils,** Pils laukums 3

㉒ Torņa iela ☆☆ [D4]

Die am nördlichen Rand der Rigaer Altstadt gelegene Torņa iela (Turmstraße) ist eine kleine **Fußgängerzone** mit Souvenirshops und Restaurants, die am nicht zu übersehenden **Pulverturm ㉓** beginnt. Geprägt wird sie von den vom Pulverturm kommend auf der rechten Seite gelegenen **Jakobskasernen** (Jēkaba kazarmas). Im 18. Jahrhundert wurden

Der Geist aus der Düna

KURZ & KNAPP

Alle einhundert Jahre, so geht die Legende, taucht aus den Fluten der Düna (Daugava) ein **Wassergeist** auf. Er macht sich auf den Weg durch die Stadt, um den ersten Passanten, der ihm entgegenkommt, anzusprechen und ihn zu fragen, **ob Riga schon fertiggebaut ist.** Der Passant muss die Frage unbedingt mit Nein beantworten. Andernfalls, so die Erzählung, wird die Stadt in den Fluten der Düna versinken. Da die Passanten aber bislang noch jedes Mal die Frage verneinten, kann in Riga bis zum heutigen Tage munter weitergebaut werden. Und das Männchen steigt wieder für die nächsten hundert Jahre zurück in die Fluten der Düna.

diese Jakobskasernen vor der Stadtmauer errichtet, die zu diesem Zeitpunkt schon keine militärische Bedeutung mehr hatte. Seit ihrer Restaurierung erstrahlen sie in frischem Gelb und beherbergen **Läden und Restaurants**.

Auf der gegenüberliegenden Seite der Torņa iela lässt sich ein kleines Stückchen **Stadtmauer** inklusive des **Rahmerturms** (Rāmera tornis) bewundern, die in den 1970er-Jahren auf original erhaltenem Fundament wieder aufgebaut wurden. Das einzig erhaltene Stadttor stellt das **Schwedentor** (Zviedru vārti) aus dem Jahr 1698 dar, durch das man von der Torņa iela auf die Aldaru iela und ins Herz der Altstadt gelangt. Errichtet wurde es, indem ein Loch in ein Wohnhaus gebrochen wurde. Am Ende der Torņa iela steht das 1832 errichtete **Arsenal** (s. S. 71). Heute beherbergt das klassizistische Gebäude eine Ausstellungshalle.

Blick durch das Schwedentor auf die Aldaru iela [D4]

KURZ & KNAPP

Trokšņu iela
Eine schmale, enge Gasse vor dem Schwedentor, ruhig und fast menschenleer, trägt einen sonderbaren Namen: **Trokšņu iela** [D4] – „Laute Straße". Geräuschvoll ging es seit dem 13. Jahrhundert in der Trokšņu iela zu: der Händler wegen, die dort ihre Läden hatten. Laut war es auch im 19. Jahrhundert, als sich Prostituierte in die kleinen Einraumwohnungen entlang der Straße einmieteten. Zu dieser Zeit musste man auf der Trokšņu iela nur in die Hände klatschen und schon erschienen Frauen an den oberen Fenstern, die zwinkernd ihre Liebesdienste anboten.

KLEINE PAUSE

Pralinen vom Feinsten
Eine heiße Schokolade, ein Tee oder ein Cappuccino und dazu zwei, drei köstliche handgemachte Pralinen sind genau der passende Anlass für eine kurze Pause vom Stadtbummel im Café des traditionsreichen **Rigaer Chocolatiers Kuze** (s. S. 79).

㉓ Pulverturm ✶✶ **[E4]**

Der Pulverturm (pulvertornis) stellt einen markanten **Überrest der Rigaer Stadtbefestigung** dar. In seiner jetzigen Form wurde er im Jahr 1650 errichtet. Bereits seit der ersten Hälfte des 14. Jahrhunderts stand hier jedoch der sogenannte **Sandturm**, der 1621 bei Angriffen der Schweden auf Riga zerstört wurde. Die Herkunft des Namens „Pulverturm" wird einer Theorie zufolge mit seiner Vergangenheit als **Schießpulverlager** erklärt; andere Quellen sprechen von dem Pulvergeruch, der vom Abfeuern der Kanonen im Turm herrührte.

Mit seinen bis zu drei Meter dicken Wänden konnte der Pulverturm auch starkem Beschuss standhalten. Seit 1919 dient er als Museum, das während der ersten lettischen Unabhängigkeit von 1918 bis 1939 zunächst an die Lettischen Schützen erinnerte und bereits damals durch einen Anbau erweitert wurde, der jedoch wegen des Kriegsausbruchs vorerst nicht in Betrieb genommen werden konnte.

Zu sowjetischen Zeiten wurde das Museum zum Revolutionsmuseum umfunktioniert, heute firmiert es als **Lettisches Kriegsmuseum.** Das Museum gehört zu den größeren der Stadt und widmet sich dem Zeitraum vom 9. Jahrhundert bis in die Gegenwart.

❯ Pulvertornis
❯ Lettisches Kriegsmuseum (Latvijas Kara muzejs), Smilšu iela 20, www.karamuzejs. lv, geöffnet: April–Okt. tgl. 10–18, Nov.– März tgl. 10–17 Uhr, Eintritt: frei

Entdeckungen in der Neustadt

Jenseits des Stadtkanals beginnt die Neustadt, im Lettischen schlicht „Zentrum" (centrs) genannt. Hier bestimmen nicht mehr Touristen und ihre Dienstleister das Stadtbild, sondern der Alltag der Einheimischen. In der Neustadt trifft man Rigaer beim Einkaufsbummel, Geschäftsleute auf dem Weg ins Büro oder junge Letten in den Cafés. Ein Gürtel von Parkanlagen mit repräsentativen Gebäuden ist die grüne Lunge Rigas und Erholungsort für Einheimische wie Besucher der Stadt. Besonderer Anziehungspunkt der Neustadt aber ist ihr Jugendstilviertel mit vielen pompös verzierten Bauten.

Ihr Antlitz verdankt die Neustadt einer groß angelegten **Erneuerung des Rigaer Stadtbildes** *Mitte des 19. Jahrhunderts, als man die militärisch nutzlos gewordenen Festungswerke rund um die Altstadt abtrug. Die ausgedehnten Obst- und Gemüsefelder vor den Festungsanlagen wurden zu Parks umgestaltet. Mit dem wirtschaftlichen Aufschwung an der Wende zum 20. Jahrhundert und der rasant steigenden Einwohnerzahl setzte ein* **Bauboom** *ein, der das noch heute existierende Bild der Neustadt prägte.*

㉔ Stadtkanal ✶✶✶ **[E4]**

Der Rigaer Stadtkanal (Pilsētas kanāls) ist eine grüne Oase direkt am Rande der Altstadt. Hier lässt sich an einem heißen Sommertag im Schatten zahlreicher Bäume rasten oder während einer gemütlichen Bootstour über den Stadtkanal und die Düna entspannen. Junge Liebespaare treffen sich gern auf dem Bas-

035rg Abb.: lk

teiberg *(Bastejkalns) und für frisch Vermählte ist der Park auf beiden Seiten des Stadtkanals ein beliebter Hintergrund für ihre Erinnerungsfotos. Vor nicht allzu langer Zeit fanden hier aber auch tragische Ereignisse statt, an welche die Gedenksteine auf beiden Uferseiten des Kanals erinnern.*

Von den Festungsgräben, die einst die Rigaer Altstadt umschlossen, existiert nur noch der Stadtkanal. Gepflegte Rasenflächen, geschwungene Wege und viele Sitzbänke laden zum Verweilen ein.

Am **Basteiberg** (Bastejkalns) [E4], den letzten Resten des einstigen Schutzwalls, zieren bunte Blumenbeete, ein kleiner künstlicher Bach und alte Ahornbäume den leicht ansteigenden Weg. Hochzeitspaare haben es zur Tradition gemacht, am Fuße des Basteibergs Schlösser am Brückengeländer anzubringen und den Schlüssel mit der Hoffnung ins Wasser zu werfen, dass ihre Liebe für ewig besiegelt sei. Allerdings werden die zahllosen Schlösser regelmäßig entfernt, was vielleicht mit dazu beiträgt, dass auch in Lettland mehr als jede zweite Ehe geschieden wird.

Kaum ins Auge fallen die schlichten **Gedenksteine** beiderseits des Stadtkanals. Sie erinnern an die **Opfer der Barrikaden von Riga** (s. Exkurs rechts) im Januar 1991, als die Rigaer ihre Stadt gegen die Machtübernahme durch die sowjetische Spezialeinheit OMON verteidigten.

Friedlich hingegen geht es in der warmen Jahreszeit bei einer **Tour**

KLEINE PAUSE

Teehaus am Stadtkanal

Wer schon eine Weile durch die Stadt gelaufen ist und am Rigaer Stadtkanal ㉔ etwas Erholung sucht, der sollte sich ins Teehaus **Apsara** (s. S. 79) begeben. Dort sitzt man gemütlich auf Kissen, lässt sich die Sonne ins Gesicht scheinen und genießt dazu einen frischen Eistee.

◩ *Riga zu Wasser erkunden: im Rahmen einer Bootstour über den Stadtkanal schippern*

mit Ruder- oder Tretbooten über den Stadtkanal zu. Wer nicht selbst aktiv werden möchte, der kann sich entspannt mit einem elektrisch angetriebenen Holzkahn über den Stadtkanal und die Düna rund um die Altstadt schippern lassen.

> **Pilsētas kanāls (Stadtkanal)**
> **Bastejkalns (Basteiberg)** [E4]
> **Bootstouren,** www.kmk.lv,
> Mai–Okt. tgl. 9–22 Uhr,
> Abfahrt ca. jede halbe Stunde
> am Basteiberg (Bastejkalns),
> Fahrpreis: 18 €

Die Barrikaden von Riga

*Gerade einmal etwas mehr als 25 Jahre sind seit den Ereignissen vergangen, und doch erscheinen sie heute bereits wie aus einer anderen Zeit: Im Januar 1991 **verbarrikadierten Tausende Rigaer ihre Stadt.** Sie errichteten Mauern in und um die Altstadt, deren Durchgänge so eng waren, dass sich die Menschen hindurch zwängen mussten, sie blockierten mit Lastwagen voller Baumstämme die Straßen und aus ganz Lettland kamen Menschen, um in der Kälte der Nacht ihre Hauptstadt zu bewachen. Irgendwann peitschten Schüsse durch die Dunkelheit, Sirenen heulten, Menschen fielen in den Schnee.*

*Lettland befand sich seit dem 4. Mai 1990 in einer Übergangsperiode auf dem Weg zur **Unabhängigkeit von der Sowjetunion.** Doch radikale Kräfte innerhalb der Kommunistischen Partei und des sowjetischen Militärs strebten danach, die Auflösung der UdSSR wenn nötig auch gewaltsam zu verhindern. Um dem vorzubeugen, rief die für die Unabhängigkeit Lettlands kämpfende **Lettische Volksfront** die Menschen zusammen - sie sollten gemeinsam die Regierungsgebäude in Riga verteidigen. Tausende kamen, errichteten Barrikaden an den strategisch wichtigen Orten der Stadt und stellten sich friedlich der Sowjetmacht entgegen.*

*In der Nacht des 20. Januar 1991 griffen Truppen der **sowjetischen Spezialeinheit OMON** das lettische Innenministerium an - ganz so, wie sie bereits eine Woche zuvor unter Blutvergießen den Fernsehturm im litauischen Vilnius erobert hatten. Im folgenden **Feuergefecht** starben fünf Menschen, das lettische Innenministerium blieb aber in der Hand der von der Sowjetunion unabhängigen lettischen Regierung.*

*Zu den fünf Menschen, die ihr Leben in dieser Nacht bei der Verteidigung der lettischen Unabhängigkeit verloren, gehörten zwei Angehörige der lettischen Miliz, ein zufällig in die Kämpfe geratener Student und ein lettisches Kamerateam. Das bekannteste unter den Opfern war **Andris Slapiņš** (1949-1991), ein Dokumentarfilmer, der sich in seiner Arbeit den Traditionen kleiner, wenig bekannter Völker und Kulturen widmete. Unweit des Basteibergs wurde er von den OMON-Einheiten erschossen. Das rote Lämpchen seiner Kamera, das wohl als Zielscheibe diente, war ihm zum Verhängnis geworden.*

*Der **Trauerzug** für ihn und die anderen Opfer wurde zu einer stillen, aber gewaltigen Demonstration gegen die Sowjetmacht, die am 21. August 1991 schließlich die **Unabhängigkeit Lettlands** anerkannte.*

㉕ Lettische Nationaloper ★ [F5]

Das Opernhaus in Riga ist die **Heimstätte der Lettischen Nationaloper** (Latvijas Nacionālā Opera) **und des Lettischen Nationalballetts** (Latvijas Nacionālais Balets). In einer Saison sind hier mehr als 200 Opern, Musicals und Ballettaufführungen zu sehen. Da alle Opern **auf Englisch übertitelt** werden, ist ein Besuch der Lettischen Nationaloper auch ein beliebtes Abendvergnügen für ausländische Gäste. Auch wenn die Rigaer Oper viel von jungen Leuten und Touristen besucht wird, sollte man die Aufführungen in angemessener Abendkleidung besuchen.

Wer einen Blick hinter die Kulissen des Opernhauses werfen möchte, kann an einer **Führung** teilnehmen und erfährt dabei Geschichten aus dem Opernleben und der Historie des Hauses.

Eröffnet wurde das **neoklassizistische Opernhaus** bereits 1863 als Deutsches Stadttheater zu Riga. Keine 20 Jahre später aber zerstörte eine Feuersbrunst das Schauspielhaus. Mehrere Menschen starben, vom Theater blieben nur die Außenwände stehen. Auslöser der Katastrophe war ein Defekt an der Gasbeleuchtung. Nach dem Brand wurde nicht nur das Innere des Theaters vollständig renoviert, sondern auch das erste Elektrizitätswerk Rigas am Stadtkanal ㉔ errichtet. So wurde das Stadttheater zum **ersten Gebäude Rigas mit elektrischem Licht.**

Mit der Aufführung von Richard Wagners „Der fliegende Holländer" im Januar 1919 begann im Haus des ehemaligen Deutschen Stadttheaters die Geschichte der Lettischen Nationaloper, die bereits vor dem Ersten Weltkrieg 1912 in Riga gegründet worden war. Seit Dezember 1922 beherbergt das Haus auch das Lettische Nationalballett, das in seiner 90-jährigen Geschichte eng mit den Traditionen der russischen Schule des klassischen Balletts verbunden war.

> **Latvijas Nacionālā Opera,** Aspazijas bulvārī 3, www.opera.lv, Tickets zw. 5 € u. 65 €, mehrmals pro Woche Führungen auf Deutsch u. Englisch (8 €, erm. 6,80 €), Zeiten an der Opernkasse erfragen

☑ *Auf in die Oper: Alle Aufführungen sind englisch übertitelt.*

036rg Abb.: mb

㉖ Laima-Uhr ⭐ [E4]

Die Laima-Uhr (Laimas pulkstenis) ist einer der **beliebtesten Treffpunkte der Rigaer**. Bereits seit 1924 zählt die Uhr zwischen Freiheitsdenkmal ㉗ und Altstadt die Stunden, seit den 1930er-Jahren ziert sie zudem das Logo des lettischen Schokoladenherstellers Laima. Deren Süßwaren sind weit über Lettland hinaus bekannt und beliebt. Es ist bestimmt kein Zufall, dass sich die Schokoladenfabrik den Namen „Laima" gab, denn so heißt auch die **lettische Göttin des Glücks**. Und Schokolade macht ja bekanntlich glücklich.

❯ **Laimas pulkstenis**

Die Jungletten: Geburt einer Nationalbewegung

Die moderne Geschichte der Letten beginnt erst in der **Mitte des 19. Jahrhunderts.** *Bis dahin war das gesellschaftliche Leben in Riga von Deutschbalten (s. S. 102) geprägt. Letten gehörten fast ausschließlich dem Bauernstand an. Wenn Letten zu höherer Bildung gelangten, assimilierten sie sich schnell der allgegenwärtigen deutschbaltischen Kultur. Erst als sich eine* **Gruppe junger Intellektueller** *in der zweiten Hälfte des 19. Jahrhunderts selbstbewusst als Letten bezeichnete, erwachte die lettische Nationalbewegung.*

Die als „Jungletten" bezeichneten Schriftsteller, Dichter, Journalisten, Volkskundler oder Pädagogen werteten die bis dahin als Bauernsprache angesehene lettische Sprache auf und erweiterten ihren Wortschatz. Sie verbreiteten lettisches Brauchtum, Tänze, Lieder, Trachten und Traditionen, sorgten sich um die Bildung ihrer Landsleute und entfachten auf diese Weise ein neues lettisches Nationalbewusstsein.

Zum Zentrum der **lettischen Nationalbewegung** *in den Provinzen Livland und Kurland entwickelte sich bald der 1868 gegründete* **„Rigaer Letten Verein".** *Sein Ziel war es, mit Festen, Versammlungen und Bildungsarbeit das Zusammengehörigkeitsgefühl der Letten zu wecken, insbesondere auf dem Lande, wo die meisten von ihnen lebten. Zur sicht- und hörbaren Demonstration kultureller Errungenschaften der Letten wurde das 1873 erstmals organisierte und bis heute veranstaltete* **lettische Sängerfest** *(s. Exkurs S. 62).*

Zu den herausragenden Protagonisten der Jungletten gehörten der Schriftsteller und geistige Vater der Bewegung **Krišjānis Valdemārs** *(1825-1891), der eifrige Sammler lettischer Lieder* **Krišjānis Barons** *(1835-1929), der Schriftsteller* **Atis Kronvalds** *(1837-1875) und der Verfasser des lettischen Nationalepos „Lāčplēsis" („Der Bärentöter")* **Andrejs Pumpurs** *(1841-1902).*

Eine neue Generation von Intellektuellen führte später die nationale Erweckung fort. Zu ihnen zählten allen voran der bis heute bedeutendste lettische Dichter **Rainis** *(1865-1929), seine Frau* **Aspazija** *(1865-1943), die selbst als Dichterin berühmt wurde, und der Romancier und Dramatiker* **Rūdolfs Blaumanis** *(1863-1908). Die Namen dieser Wegbereiter der lettischen Nationalbewegung sind noch heute in Riga omnipräsent - nicht zuletzt, weil ihnen zu Ehren viele Straßen und Parkanlagen in der Rigaer Neustadt benannt sind.*

㉗ Freiheitsdenkmal ★★ [E4]

Das Freiheitsdenkmal (Brīvības pie-mineklis) ist sicher das bedeutendste Monument in Lettland. Es wurde in den 1930er-Jahren aus Stolz über die errungene Freiheit Lettlands errichtet, überstand die Nazi-Besatzung und die Sowjetzeit erstaunlicherweise fast unbeschadet und ist heute das weithin sichtbare Symbol des unabhängigen Lettlands.

Gut 43 Meter ragt der **dünne Obelisk** in den Himmel. Auf ihm steht anmutig die **Freiheitsfigur Milda**, die in ihren emporgestreckten Händen drei Sterne hält. Diese repräsentieren die drei kulturhistorischen Regionen Lettlands: Kurzeme (Kurland), Vidzeme (Livland) und Latgale (Lettgallen).

Auf dem roten Granitsockel thronen allegorische Figuren, die für Arbeit, Familienleben, Geistesleben und die Verteidigung des Vaterlands stehen. Links und rechts der Aufschrift „Für Vaterland und Freiheit" befinden sich Flachreliefs, die Szenen aus der Revolution von 1905 gegen den russischen Zar und die Befreiung Rigas durch lettische Truppen 1919 darstellen. Eine sich stündlich vor dem Denkmal ablösende **Ehrenwache** soll symbolisch die Freiheit Lettlands schützen.

Eingeweiht wurde das Freiheitsdenkmal am 18. November 1935 zum 15. Jahrestag der Unabhängigkeit Lettlands vom russischen Zarenreich. An seiner Stelle stand zuvor ein Denkmal für Zar Peter I. Das Freiheitsdenkmal sollte daran erinnern, dass der Unabhängigkeit Lettlands ein blutiger Kampf vorausgegangen war, in dem Tausende Letten ihr Leben verloren.

Erstaunlich ist, dass das Denkmal sowohl den Zweiten Weltkrieg als auch die darauf folgende annähernd 50 Jahre dauernde Sowjetzeit und die Barrikaden Rigas von 1991 (s. Exkurs S. 35) ohne größere Schäden überstand. Zwar gab es in Moskau Pläne, das Denkmal abzureißen, diese ließen sich aber selbst von den Sowjets nicht gegen den lettischen Nationalstolz durchsetzen.

❯ Brīvības piemineklis

037rg Abb.: lk

◁ *Symbol der Freiheit: Milda thront auf Rigas weithin sichtbarem Denkmal.*

㉘ Lettisches Okkupationsmuseum ✫ ✫ ✫ [E3]

Wer Lettland und seine Geschichte im 20. Jh. verstehen möchte, kommt um einen Besuch im Okkupations-museum nicht herum. Es schildert die drei Besatzungen Lettlands: Zunächst marschierte die Rote Armee ein, dann die Deutsche Wehrmacht und schließ-lich kamen erneut – und dieses Mal für mehr als vier Jahrzehnte – die So-wjets. An manchen Stellen ist die Aus-stellung durchaus streitbar, aber nir-gends findet man das Drama der let-tischen Geschichte dichter erzählt als im Okkupationsmuseum.

„Die Sowjetunion erkennt die Unab-hängigkeit des Baltikums an und be-endet die 51-jährige Besetzung von drei Nationen." Mit dieser im Muse-um ausgestellten Schlagzeile der New York Times vom 7. September 1991 wird die offizielle Geschichts-interpretation in den baltischen Län-dern kurz und knapp auf den Punkt gebracht: Estland, Lettland und Li-tauen sind **1940** nicht freiwillig zu Unionsrepubliken der Sowjetunion geworden, sondern wurden **besetzt und seitdem von fremden Mächten beherrscht.**

Diese ein halbes Jahrhundert an-dauernde Fremdherrschaft in Lett-land dokumentiert das Okkupati-onsmuseum eindrücklich. Anhand **unzähliger Exponate** zeigt die Aus-stellung, wie die kleinen Nationen des Baltikums zwischen den Interes-sen der Großmächte zerrieben wur-den, wie die Nazis wüteten und die Rigaer jüdische Gemeinde beinahe vollständig auslöschten, aber auch wie die Sowjets Zehntausende Letten nach Sibirien deportierten.

Leider ist die Ausstellung derzeit nur **provisorisch** in den Räumlichkei-ten der ehemaligen US-Botschaft in der Nähe des Freiheitsdenkmals ㉗ untergebracht.

Das ursprüngliche Domizil des Museums – ein schwarzer, fenster-loser Quaderbau am Rathausplatz ❶ – soll renoviert und erweitert werden. Doch offensichtlich entwi-ckelt sich dieses Vorhaben zu einer unendlichen Geschichte. Änderun-gen am Entwurf sorgen für Missmut beim Architekten und die Stadt ver-weigert bisher die erforderliche Bau-genehmigung. Inzwischen spielt der Museumsdirektor sogar mit dem Ge-danken, mit der Ausstellung ins nicht renovierte Haus am Rathausplatz zurückzukehren. Ein Glück, dass es auch einen virtuellen Rundgang durch die englischsprachige Ausstel-lung gibt: www.e-okupacijasmuzejs.lv.

❯ **Latvijas Okupācijas muzeja**, Raiņa bulvāris 7, www.okupacijasmuzejs.lv, geöffnet: tgl. 11 – 17 Uhr, Eintritt: frei (Spende erbeten). Täglich um 14 Uhr findet eine geführte Tour (Englisch) statt (Kosten: 3 €).

㉙ Lettische Universität ✫ [F4]

Die Lettische Universität (Latvijas Universitāte) wurde 1919 kurz nach der Unabhängigkeit des Landes ge-gründet und ist das **Flaggschiff des lettischen Bildungswesens.** Etwa 15.000 Menschen studieren derzeit an den verschiedenen Fakultäten.

In dem 1896 errichteten Hauptge-bäude der Universität befand sich aber bereits vor der lettischen Unabhängig-keit eine Hochschule. Vor dem Ersten Weltkrieg war dort das 1862 gegrün-dete **Rigaer Polytechnikum** unterge-bracht, an dem, zunächst auf Deutsch, später auf Russisch, vor allem Ökono-men, Ingenieure und Architekten aus-gebildet wurden. Allerdings galt den

Deutschbalten aus Riga eine Ausbildung an der angesehen Universität Dorpat (Tartu) im heutigen Estland zumindest für nichttechnische Fächer als wesentlich prestigeträchtiger.

Letten konnten im 19. Jahrhundert hingegen nur studieren und den sozialen Aufstieg schaffen, wenn sie des Deutschen mächtig waren. Deshalb waren unter den 1770 Studenten am Rigaer Polytechnikum um 1900 nur etwa 200 Letten.

> **Latvijas Universitāte**, Raiņa bulvāris 19

③⓪ Bergs-Basar ★★ [G4]

Der Bergs-Basar (Berga Bazārs) unweit der Altstadt ist eine kleine, ruhige Welt für sich. Im Herzen dieser ältesten Ladenpassage Rigas befindet sich das luxuriöse Hotel Bergs, um das herum zahlreiche Boutiquen, Galerien, Läden und Cafés für ein ungewöhnliches Ambiente sorgen. Jeden Samstag findet im Bergs-Basar zudem ein Bauernmarkt mit traditionellen lettischen Produkten statt. Der Ort, an dem sich heute vor allem junge, urbane Menschen tummeln, hat aber auch eine interessante Vergangenheit.

Im Jahr 1860 zog der 16-jährige **Kristaps Kalniņš** (1843–1907) aus seiner ländlichen Heimatregion Semgallen ins aufstrebende Riga. Um sich besser in die von Deutschbalten dominierte städtische Gesellschaft (s. Exkurs S. 102) integrieren zu können, übersetzte er seinen Namen ins Deutsche und nannte sich fortan Kristaps Bergs. Mit den Jahren wurde er zu einem der bedeutendsten lettischen Unternehmer in Riga.

Als sich Riga außerhalb der Altstadt zu entwickeln begann, erwarb Bergs ein paar Kohlfelder, auf denen drei Holzhäuser standen, und ließ dort von 1887 bis 1900 die **erste moderne Einkaufspassage Rigas** erbauen. Zwei der alten Holzhäuser wurden in die zweistöckige Einkaufspassage integriert und sind, wie das gesamte Ensemble, bis heute erhalten. Damals bot der Bergs-Basar Platz für 130 Geschäfte.

Kristaps Bergs, der auch in der lettischen Nationalbewegung (s. Exkurs S. 37) aktiv war, unterstützte zunächst vor allem lettische Händler, die sich auf dem Rigaer Markt noch etablieren mussten. Mit der Zeit aber entwickelte sich der Bergs-Basar zu einem **internationalen Handelsplatz.**

Nach der Verstaatlichung in der sowjetischen Zeit verlor der Bergs-Basar seinen kosmopolitischen Geist und genoss zeitweise einen ziemlich zwielichtigen Ruf. Erst als Lettland wieder unabhängig war, wurde der Bergs-Basar in den 1990er-Jahren an die Erben von Kristaps Bergs zurückgegeben und aufwendig renoviert. Heute gibt sich der Bergs-Basar mit seinen **schicken Geschäften, Cafés und Restaurants** betont modern.

> **Berga Bazārs**, Elizabetes iela 83/85, www.bergabazars.lv

KLEINE PAUSE

Hausgemachtes Eis

Eine freundliche junge Dame füllt die Kugel Rhabarbereis in eine noch warme, frisch gebackene Waffeltüte und garniert sie liebevoll mit einem kleinen Stück Erdbeere und einem frischen Blatt Minze. Am Eisstand von **Skrīveru mājas saldējums,** der regelmäßig auf dem Bergs-Basar zu finden ist (falls er nicht auf Großveranstaltungen in der Stadt aufgebaut wird), wird diese Gaumenfreude wahr. Experimentierfreudige können aber auch Eis mit Meerrettich oder Bier probieren!

㉛ Wöhrmannscher Garten ★★ [F4]

Der Wöhrmannsche Garten (Vērmanes dārzs) gehört zu den **ältesten und beliebtesten Parkanlagen** in der Rigaer Innenstadt. Besonders geschätzt wird der Wöhrmannsche Garten von Familien mit Kindern, denn die Kleinen können dort auf Spielplätzen toben, Trampolin springen oder mit elektrischen Autos um die Passanten kurven. Man kann aber auch gemütlich in einem der **zahlreichen Cafés** sitzen. Auf den Zuschauerbänken der Freilichtbühne spielen ältere Herren seit eh und je Schach oder Dame, wenn der Ort nicht gerade für eines der zahlreichen Feste genutzt wird.

Angelegt wurde der Park **Anfang des 19. Jahrhunderts**. Als 1812 die Napoleonische Armee Riga einnehmen wollte, brannte die Stadtverwaltung die Vororte nieder, um den Angreifern die Deckung zu nehmen. Die Spuren und die Erinnerung an dieses Vorgehen sollten beseitigt werden und so legte die Stadtverwaltung den Park an.

Die Grundstücke für den 1817 eingeweihten englischen Garten wurden der Stadt von der Industriellenwitwe **Anna Gertrud Wöhrmann** (1750–1827) geschenkt. Zwei Jahre nach ihrem Tod errichtete man zu ihren Ehren einen Obelisken, der – wie viele andere Denkmäler im Park – zu Sowjetzeiten ersetzt wurde. Seit 2000 erinnert wieder ein **Gedenkstein** an die Mäzenin und Namensgeberin des Gartens.

❯ Vērmanes dārzs

⌂ *Jugendstilhaus am Wöhrmannschen Garten*

㉜ Kino Rīga ★★ [F3]

Ein riesiger schwarzer Kasten, in dem sich eine Billardkneipe befindet, verstellt leider den Blick auf das Kino Rīga und lässt den Stadtbesucher beinahe an diesem cineastischen Kleinod vorbeilaufen. Dabei ist das Kino Rīga nicht nur **das älteste Filmhaus der Stadt**, das 1923 öffnete und 1929 den ersten Tonfilm Lettlands zeigte. Es ist wohl auch der schöns-

EXTRATIPP

Rosen in der Nacht

Letten lieben Blumen – und deshalb können Romantiker am nördlichen Rand des Wöhrmannschen Gartens ㉛, entlang der Tērbatas iela [F4], bis in die tiefe Nacht Rosen, Dahlien oder Narzissen kaufen. Die **Blumenstände** schließen nie, nur die Verkäuferinnen wechseln alle zwölf Stunden. Achten sollte man allerdings darauf, immer eine **ungerade Zahl an Blumen** zu schenken, denn zwei, vier, sechs oder acht Blumen überreichen Letten nur, wenn jemand gestorben ist.

039rg Abb.: mb

🟢 Christi-Geburt-Kathedrale ★★★ [F3]

Die Christi-Geburt-Kathedrale (Kristus Piedzimšanas pareizticīgo katedrāle) ist das wohl beeindruckendste Gotteshaus der russisch-orthodoxen Kirche in Lettland.

Direkt am Rande der Esplanade 🟢 erheben sich weithin sichtbar ihre **fünf mächtigen, teilvergoldeten Kuppeln.** Wie in russisch-orthodoxen Kirchen üblich, ist das Kircheninnere mit **prächtigen Ikonen** und **reicher Wandmalerei** ausgeschmückt.

Wer die Kathedrale besichtigen möchte, muss sich allerdings an die Kleidervorschriften halten, denn Besucher in kurzen Hosen sind hier unerwünscht.

Erbaut wurde die Christi-Geburt-Kathedrale in den Jahren 1876 bis 1884 nach den Plänen des für die Rigaer Stadtentwicklung bedeutenden Architekten Robert Pflug. Einige der Ikonen in der Kirche stammen von dem sonst vor allem als Kriegsmaler bekannten Russen Wassili Wereschtschagin (1842–1904).

Zwei Weltkriege und die Oktoberrevolution 1917 überstand das Gotteshaus trotz erheblicher Zerstörungen, doch 1963 wurde die Kathedrale geschlossen. Am Ostersonntag jenes Jahres besuchte die Kultusministerin der Sowjetunion, Jekaterina Furtsewa, Riga, hörte die Osterglocken erklingen und veranlasste daraufhin, die Kirchenglocken abzunehmen, die Kreuze abzusägen und die Innendekoration zu zerstören. Fortan wurde das Gebäude als **„Haus der Wissenschaften"** und als **Planetarium** genutzt und das Café „Ohr Gottes" eingerichtet.

Nach 1991 wurde die Kathedrale viele Jahre restauriert, sodass sie

te Ort, um Filme zu gucken, denn der **prunkvolle Saal im Rokokostil** gleicht einem Theater.

Gezeigt werden überwiegend lettische und europäische Filme mit einem Schwerpunkt auf Autorenkino und Arthouse. Da alle fremdsprachigen Filme im Original mit Untertiteln gezeigt werden, kann man als Tourist mit entsprechenden Sprachkenntnissen dort auch aktuelle Spielfilme schauen. Es lohnt sich aber auch, einfach so vorbeizugehen und den Kinosaal zu besichtigen.

❯ **Splendid Palace,** Elizabetes iela 61, www.splendidpalace.lv, **Führung durchs Kino:** tgl. eine Stunde vor Beginn der ersten Abendvorführung, **individuelle Besichtigung:** tgl. rund um die Uhr, Eintritt: frei

◿ *Ausstellung im Kino Rīga 🟢*

▷ *Christi-Geburt-Kathedrale*

heute erneut im alten Glanz erstrahlt und ihre **zwölf riesigen Glocken** wieder läuten.

> **Kristus Piedzimšanas pareizticīgo katedrāle,** Brīvības bulvāris 23

34 Esplanade ☆ [E3]

Zwischen der orthodoxen Christi-Geburt-Kathedrale 33 und dem Lettischen Nationalen Kunstmuseum 35 liegt die Esplanade (Esplanāde). Früher war diese **Grünanlage** ein **Exerzierplatz der Armee,** heute gehört sie zum **Parkensemble** rund um die Altstadt. Vor allem Kinder haben hier auf dem Spielplatz oder auf den Trampolinen ihren Spaß.

Am Rande der Esplanade thront als monumentale **Skulptur aus hellrotem Granit** Rainis (1865–1929, bürgerlicher Name Jānis Pliekšāns), der vielen Letten als bedeutendster Dichter und Schriftsteller ihres Landes gilt. Seine Dramen „Feuer und

Nacht" (1907) und „Joseph und die Brüder" (1912) wurden zu Schlüsselwerken der lettischen Unabhängigkeitsbewegung und seine Übersetzung von Goethes Faust prägte die lettische Literatursprache. Weil Rainis als überzeugter Sozialdemokrat eine führende Rolle in der Revolution von 1905 spielte, musste er ins Exil in die Schweiz gehen und kehrte erst im Jahr 1920 als gefeierter Intellektueller in seine bereits unabhängige Heimat zurück.

> **Esplanāde**

35 Lettisches Nationales Kunstmuseum ☆ [E3]

Das Lettische Nationale Kunstmuseum (Latvijas Nacionālais mākslas muzejs) am nördlichen Rand der Esplanade war das erste Bauwerk im Baltikum, das Anfang des 20. Jahrhunderts eigens für den Zweck errichtet wurde, Kunst auszustellen. Nach mehrjähriger Renovierung erstrahlt das Museum seit 2016 in neuem Glanz und präsentiert baltische, russische und vor allem lettische Malerei seit Ende des 18. Jahrhunderts in modernem Gewand.

Besonders sehenswert sind die Exponate **lettischer Kunst vom Ende des 19. bis Mitte des 20. Jahrhunderts.** Anhand der Bilder bedeutender lettischer Maler wie etwa Vilhelms Purvītis, Jānis Valters oder Jānis Rozentāls zeigt das Museum die Entwicklung der lettischen Kunst vom Realismus zur klassischen Moderne. Zugleich spiegelt sich in der Malerei jener Zeit der Weg der Letten zu einer zunehmend eigenständigen nationalen Identität wider, denn noch im 18. und 19. Jahrhundert war die Kunst des Baltikums von deutschen und russischen Einflüssen dominiert.

Entworfen wurde der Museumsbau mit seiner **eindrucksvollen neobarocken und neoklassizistischen Fassade** vom deutschbaltischen Kunstwissenschaftler Wilhelm Neumann (1849–1919), der auch erster Museumsdirektor wurde. Sein Nachfolger, der lettische Maler Vilhelms Purvītis, leitete das Haus nach Erlangung der Unabhängigkeit des Landes von 1919 bis 1944. Er trug systematisch das lettische nationale Kunsterbe zusammen und dokumentierte zeitgenössische Entwicklungen.

> **Latvijas Nacionālais mākslas muzejs,** Krišjāņa Valdemāra iela 10 a, www.lnmm.lv/en/lnmm, geöffnet: Di.–Do. 10–18, Fr. 10–20, Sa./So. 10–17 Uhr, Eintritt: 3,50 €, erm. 2 €

㊱ Lettisches Nationaltheater ☆ [D3]

Das Lettische Nationaltheater (Latvijas Nacionālais teātris) hat für die Letten eine ganz besondere Bedeutung, denn vom Balkon des Gebäudes wurde am 18. November 1918 die **Unabhängigkeitserklärung** der Ersten Lettischen Republik verlesen. Gut ein Jahr später nahm das Lettische Nationaltheater seine Arbeit auf. Bei seiner Eröffnungsrede hob der lettische Dichter Jānis Akuraters (1876–1937) hervor: „Das Leben unseres Volkes war schwer. Und wenn wir uns jetzt unserer Geschichte erinnern, dann ist es verblüffend, wie es seine Eigenarten und seinen Geist erhalten konnte. Was hat uns am Leben erhalten? Unsere Kunst."

In diesem Sinne spielt das Nationaltheater noch heute vorwiegend **Volkskomödien für ein breites Publikum.** Gern wird in patriotischen Stücken die nationale Geschichte Lettlands aufgegriffen.

Das künstlerische Aushängeschild der insgesamt fünf Repertoiretheater Rigas ist allerdings das Neue Theater Riga (s. S. 83). Daneben bildet sich in Riga seit einigen Jahren auch eine alternative Theaterszene mit vielen kleinen Spielstätten heraus.

> **Latvijas Nacionālais teātris,** Kronvalda bulvāris 2, www.teatris.lv

㊲ Kronvaldspark ☆ [D2]

Nördlich der Altstadt erstreckt sich links und rechts des Stadtkanals ㉔ der Kronvaldspark (Kronvalda parks). An seinem südlichen Rand befindet sich das Rigaer **Kongresszentrum,** vor dessen Eingang mehrere Glaspyramiden nicht etwa auf ein bedeutendes Museum hinweisen, sondern schlicht die Eingänge zu einer Tiefgarage überdachen.

Benannt ist der Park nach dem lettischen Schriftsteller **Atis Kronvalds** (1837–1875), der 1872 das Manifest der lettischen Nationalbewegung „Nationale Bestrebungen" verfasste. Bis 1931 gehörte der Kronvaldspark dem **Deutschen Schützenverein,** der das Gelände zum Entsetzen der Rigaer Stadtväter während eines Besuchs des russischen Zaren Alexander II. 1864 von diesem geschenkt bekam. Seit dieser Zeit war der Schützenverein für die Pflege des bei Spaziergängern beliebten Parks verantwortlich, wofür er jedem Besucher ein Eintrittsgeld abverlangte. Heute ist das Flanieren durch den Park natürlich kostenfrei.

> **Kronvalda parks,** zw. Kronvalda bulvāris, Kalpaka bulvāris u. Elizabetes iela ㊴

▷ *Jugendstilfassade von Michail Eisenstein in der Strēlnieku iela 4 [E1]*

㊳ Alberta iela ✴ ✴ ✴ [E2]

041rg Abb.: mb

Riga ist eine der bedeutendsten Jugendstilstädte in Europa. Fast ein Drittel der Gebäude in der Rigaer Innenstadt – mehr als 800 Häuser – sind Jugendstilbauten. Am eindrucksvollsten sind die erhabenen, mit Figuren, Pflanzenmotiven und geometrischen Formen reich verzierten Häuser in der Alberta iela (Albertstraße). Sie gehört zu den wohl schönsten Jugendstilstraßen in Europa. Ihre Gebäude wurden zum großen Teil von Michail Eisenstein, dem Altmeister des Rigaer Jugendstils (s. Exkurs S. 47), entworfen.

Als an der Wende zum 20. Jahrhundert das Eklektizismus genannte, teilweise recht wahllose Kombinieren historischer Architekturstile aus der Mode kam, wurde der Jugendstil zur **prägenden Kunstrichtung** in der Rigaer Architektur. Just in dieser Zeit erlebte Riga eine wirtschaftliche Hochkonjunktur und einen raschen Bevölkerungszuwachs. Eine intensive Bautätigkeit setzte ein und Riga wurde wie Brüssel, Barcelona, Paris oder Wien zu einer Metropole des Jugendstils.

Allerdings war der Jugendstil immer die **architektonische Visitenkarte der wohlhabenden Oberschicht.** Während in der Rigaer Innenstadt ein Jugendstilgebäude nach dem anderen errichtet wurde, herrschten in den engen Behausungen der Arbeiterviertel katastrophale Wohn- und Lebensverhältnisse.

In der prachtvollen Alberta iela (benannt nach Rigas Stadtgründer Bischof Albert) lässt sich erkennen, dass der Jugendstil keineswegs eine einheitliche Kunstrichtung war. Am auffälligsten ist der **eklektizistisch-dekorative Jugendstil** (nicht zu verwechseln mit dem Eklektizismus), wie man ihn zum Beispiel an den **Häusern 2a, 4 und 13** bestaunen kann. Ihre Fassaden sind mit dämonischen Fratzen, halbnackten Frauenfiguren, Blumenkränzen oder Löwenmasken reich dekoriert. Sehenswert ist auch das Treppenhaus in der Nr. 2a. Schaut man allerdings auf die Hinterhöfe der Häuser, sieht man nur karges Gemäuer.

Schlichter ist das **Haus Nr. 11** mit seinen runden und eckigen Erkern. Wie viele Bauten in Riga ist es im **national-romantischen Jugendstil** errichtet. Dieser zeichnet sich durch monumentale, schwerfällige Fassaden aus, die zurückhaltend mit volkstümlichen lettischen Ornamenten versehen sind und dem dekorativen Jugendstil überhaupt nicht ähneln. Charakteristisch für diese Art des Jugendstils ist die Verwendung natürlicher Materialien, während Imitationen verpönt waren.

Am häufigsten trifft man in Riga aber auf den **lotrechten Jugendstil** (lotrecht = senkrecht). In dieser letzten Etappe der Entwicklung der Kunstrichtung dominierten asketische, vertikal ausgerichtete Fassaden, deren Ornamente die senkrechte Erscheinungsform der Fassade unterstützen, was man gut am **Haus Nr. 8** nachvollziehen kann.

Die wohl prächtigsten und am häufigsten fotografierten Jugendstilhäuser Rigas sind die Nr. 13 auf der Alberta iela und das Haus Nr. 4 auf der **angrenzenden Strēlnieku iela** [E1], welche mit zahlreichen Cafés und kleinen Läden ebenfalls zu einem Bummel einlädt. Sehenswerte Jugendstilbauten gibt es aber auch auf der unweit gelegenen **Elizabetes iela ㊴** und in der Vīlandes iela [D1]. Wer sich nicht nur für Fassaden interessiert, sollte einen Blick in das Haus in der Alberta iela 12 werfen. Dort gibt es einen farbenfrohen Treppenaufgang zu bestaunen und das **Rigaer Jugendstilmuseum** (s. S. 72) in einer **rekonstruierten Jugendstilwohnung** zu besichtigen.

042rg Abb.: mb

Jugendstil

KURZ & KNAPP

Der Jugendstil ist eine um die Wende zum 20. Jahrhundert entstandene europäische Kunstrichtung, die durch **dekorativ geschwungene Linien** sowie flächenhaft stilisierte **pflanzliche oder abstrakte Ornamente** gekennzeichnet ist. In Frankreich ist der Jugendstil auch als Art Nouveau und in Österreich als Secessionsstil bekannt. Als Reaktion auf die Massenproduktion trat der Jugendstil dafür ein, Kunst und Leben wieder miteinander zu vereinen. Handwerkliches Geschick und Fantasie sollten vielseitig in die Alltagswelt zurückkehren. So entstand eine Vielzahl an Gebäuden, Fassaden, Gebrauchsgegenständen, Modeartikeln, Plakaten oder Gemälden. Die Blütezeit des Jugendstils dauerte bis zum Beginn des Ersten Weltkriegs an.

◁ *Dekorativer Jugendstil: Detail der Hausfassade in der Strēlnieku iela 4 [E1]*

Michail Eisenstein

Zu Beginn seiner Karriere verspotte-
te man ihn noch als „verrückten Zu-
ckerbäcker". Denn seine Bauweise
war neu, war spektakulär, war eine
Provokation. Er verwarf den in Riga
vorherrschenden architektonischen
Historismus und schuf extravagan-
te Häuser mit reich verzierten, ver-
spielten und bunten Fassaden. Bald
aber wurde er zu einem der begehr-
testen Architekten der Stadt und bau-
te im Auftrag wohlhabender Geschäfts-
leute mehr als 50 Häuser im Zentrum
Rigas. So wurde Michail Eisenstein
(1867–1921) zu einer **Koryphäe des**
Rigaer Jugendstils.

Sein familiäres Leben hingegen ver-
lief weit weniger gnädig. Als **Sohn ei-**
ner deutschbaltischen Kaufmanns-
familie *erblickte Eisenstein 1867 in*
St. Petersburg das Licht der Welt. Dort
absolvierte er ein Studium am Institut
für Bauingenieurwesen und begann
zunächst, als **Bauingenieur** *zu arbei-*
ten. Bald lernte er Julia Konezkaja aus
einer wohlhabenden Petersburger Fa-
milie kennen, heiratete sie und siedelte
mit ihr noch im selben Jahr nach Riga
über. Dort zogen beide in eine große,
prachtvolle Wohnung in der Neustadt
und im Januar 1898 kam ihr **Sohn**
Sergei *zur Welt.*

Seine berufliche Karriere entwickelte
sich rasant. Er projektierte seine ers-
ten Häuser und wurde 1900 zum **Lei-**
ter der Verkehrsabteilung *des Gou-*
vernements Livland ernannt. Seine Be-
geisterung aber galt der Architektur,
weshalb er neben seinem hochrangi-
gen und angesehenen Posten in der
Verwaltung weiter als Privatarchitekt
arbeitete. Im Auftrag wohlhabender
Rigaer Bürger entwarf er zahlreiche
Jugendstilbauten, u. a. in der **Elizabe-**
tes iela ㊴ *(Hausnummern 10a, 10b,*
33), **Alberta iela ㊳** *(2, 2a, 4, 6, 8,*
13) und in der **Strēlnieku iela 4 [E1].**
Mit seinen prächtigen Gebäuden wur-
de er zum Vorreiter eines Architektur-
stils, der die Stadtentwicklung Rigas
von der Jahrhundertwende bis zum
Ausbruch des Ersten Weltkriegs prä-
gen sollte.

Mit seinem zunehmenden Erfolg als
Architekt wuchsen allerdings die **fami-**
liären Probleme *der Eisensteins. Hef-*
tige Streitigkeiten zwischen Michail
und seiner Frau Julia häuften sich.
Michail vertiefte sich immer mehr
in seine Arbeit, Julia gab sich einer
Affäre hin. Schließlich trennten sie
sich 1909 und Julia zog zurück nach
St. Petersburg. Ihr gemeinsamer Sohn
Sergei blieb bei seinem Vater in Riga,
hielt aber innigen Briefkontakt mit
der Mutter und besuchte sie regelmä-
ßig in St. Petersburg. Das Verhältnis
zwischen Michail und Sergei indes ver-
schlechterte sich zusehends.

1915 stieg Michail Eisenstein in den
russischen Adel *auf und wurde zum*
Staatsrat *ernannt. Im gleichen Jahr*
schickte er Sergei zum Studium nach
St. Petersburg. Zur Zeit der Russischen
Revolution trennten sich ihre Wege
endgültig. Michail wurde zum Ingeni-
eur der Weißen Armee, Sergei melde-
te sich freiwillig bei der Roten Armee.

Nach dem Sieg der Bolschewisten
floh Michail Eisenstein nach Berlin,
wo er zwar noch einmal heiratete,
aber nur wenig später am 2. Juli 1921
starb. Sein Sohn Sergei erfuhr erst drei
Jahre später vom Tod des Vaters. We-
nig später, im Jahr 1925, schrieb sich
Sergei Eisenstein *mit seinem Revolu-*
tionsfilm „Panzerkreuzer Potemkin"
in die Annalen des Films ein.

㊴ Elizabetes iela ★★ [E2]

Berühmt für ihre **Jugendstilbauten** ist auch die Elizabetes iela (Elisabethstraße). Der geschäftige Boulevard zieht sich gut zwei Kilometer vom Bahnhof bis zum Fährhafen und ist geprägt von zahlreichen prachtvollen Gebäuden, in denen sich Geschäfte, Firmen, noble Restaurants und etliche ausländische Botschaften niedergelassen haben.

Zu den schönsten Jugendstilhäusern auf der Elizabetes iela gehören die **Gebäude Nr. 10 a, 10 b und 33 von Michail Eisenstein** (s. Exkurs S. 47) sowie die im nördlichen Abschnitt der Straße gelegenen Fassaden. Vor allem das prächtig verzierte blau-weiße Haus in der 10 b zieht Besucher der Stadt geradezu magisch an. Die Skulpturen und Häupter auf dem Dacherker sind zu einem Symbol Rigas schlechthin geworden.

Unterwegs in der Moskauer Vorstadt

In der Moskauer Vorstadt (Maskavas forštate) ticken die Uhren anders als in der Rigaer Alt- oder Neustadt. Hier ist das Leben rauer, sind die Probleme der Stadt nicht vom Schick des neuen Kommerzes übertüncht. Das Arbeiterviertel hat unter den Rigaern seit jeher einen zweifelhaften Ruf und gilt manchen im Dunkeln sogar als gefährlich. Sein mitunter trostloses Erscheinungsbild lockt sehr viel weniger Touristen an als das Stadtzentrum der Dünametropole. Dennoch hat die Moskauer Vorstadt ihren eigenen Charme und lohnt ganz bestimmt einen Abstecher.

Seit gut 350 Jahren leben vorwiegend **russischsprachige Menschen** in der Moskauer Vorstadt. Denn als der Moskauer Patriarch Nikon (1605–1681) die russisch-orthodoxe Kirche reformierte und 1667 die **Altgläubigen,** die seinen neuen Glaubensritualen nicht folgten, zu Ketzern erklärte, zogen viele von ihnen an den Rand des russischen Imperiums. In Riga ließen sie sich nahe dem Stadtzentrum nieder. Ihnen folgten später Handwerker und Industriearbeiter, sodass die Moskauer Vorstadt zu einem Viertel wurde, in dem noch heute vorwiegend Russisch gesprochen wird.

Während der deutschen Besatzung im Zweiten Weltkrieg wurde in der Moskauer Vorstadt mit ihren vielen Holzhäusern das **jüdische Getto** errichtet. Später, in der Sowjetzeit, verfiel ein Großteil der Häuser im Viertel, während östlich der Moskauer Vorstadt ein Plattenbau an den nächsten gebaut wurde.

Lange war die Moskauer Vorstadt das **Viertel für die Ausgegrenzten, für religiöse Minderheiten und wenig begüterte Menschen.** Auf dem Zentralmarkt, dem Eingang zur Moskauer Vorstadt, spiegelt sich das einfache, elementare Leben. Einen interessanten Kontrast dazu bildet das sich ständig wandelnde kreative Speicherviertel mit seinen vielfältigen Kulturangeboten.

⌃ *Frisches Obst vom Zentralmarkt*

◁ *Blick auf die Moskauer Vorstadt mit Markthallen und Akademie der Wissenschaften* ㊳

㊵ Zentralmarkt ✶✶✶ [F6]

Ob frischer Lachs oder geräucherter Aal, riesige Schweinekoteletts oder lettischer Kümmelkäse, eingelegter Kohl oder saftig-rote Tomaten, schwarze Kirschen oder süße Erdbeeren – nirgends im Baltikum findet man eine größere Auswahl an frischen Lebensmitteln als auf dem Rigaer Zentralmarkt (Rigas Centrāltirgus). Unzählige Händler bieten an ihren kleinen Ständen in den Markthallen und auf dem Vorplatz ihre Waren an. Die geschäftigen Verkäufer machen den Bummel über den Markt zu einem außergewöhnlichen Erlebnis, vor allem, da man gerne von den vielen angebotenen Köstlichkeiten probieren darf. Nur vor Taschendieben sollte man sich auf dem Zentralmarkt in Acht nehmen.

Fünf riesige Markthallen gibt es, jeweils eine für Fleisch, Molkereiprodukte, Brot und Lebensmittel, Obst und Gemüse sowie Fisch. Neben und hinter den Hallen werden unter freiem Himmel Blumen, Obst, Gemüse, Kleidung und Schuhe verkauft. Viele Rigaer tätigen hier ihren **Wocheneinkauf**, und auch die Restaurants der Stadt schätzen die gute Qualität der Produkte vom Zentralmarkt.

Ungewöhnlich ist die Geschichte der auffällig gewölbten Markthallen, die von 1924 bis 1930 errichtet wurden. Ursprünglich dienten die Hallenkonstruktionen als **Zeppelin-Hangar** für deutsche Luftschiffe während des Ersten Weltkriegs. Die Hallen wurden nach Kriegsende zerlegt und aus dem Südwesten Lettlands nach Riga geschafft. Allerdings waren sie für den neuen Zweck viel zu groß, sodass für die Markthallen nur der obere Teil der Metallkonstruktionen genutzt wurde.

Wer auch noch in den Abendstunden frisches Obst und Gemüse einkaufen möchte, der sollte den **Nachtmarkt** gleich hinter dem Zentralmarkt **auf der Spiķeru iela** [F6/7] besuchen. Ab etwa 21 Uhr bis in die frühen Morgenstunden verkaufen Bauern aus ihren Kleintransportern Tomaten, Gurken, Zwiebeln oder Bohnen, Kir-

schen oder Stachelbeeren zu günstigen Preisen an die Händler des Zentralmarkts, aber auch an einfache Kunden.

❯ **Rīgas Centrāltirgus,** Nēģu iela 7, Tram 2, 3, 4, 7, 9, 10 bis Haltestelle „Centrāltirgus", www.centraltirgus.lv, geöffnet: tgl. 7–18 Uhr

㊶ Speicherviertel ✶ [F7]

Das Speicherviertel (Spiķeru kvartāls) hat sich in den letzten Jahren zu einem dynamischen Ort der Rigaer Kunst- und Kulturszene entwickelt. In den aus dem 19. Jahrhundert stammenden ockerfarbenen Backsteinspeichern gegenüber dem Zentralmarkt ㊵ haben zeitgenössische Kunst-, Musik- und Theaterinstitutionen ihr Domizil bezogen und wurden kleine Geschäfte und Restaurants eröffnet. Das Rigaer Getto-Museum erinnert an den Holocaust in Lettland.

Als gefragter Ort für regelmäßig wechselnde Ausstellungen und Gespräche über Gegenwartskunst und Gesellschaftsfragen hat sich das **Zentrum für Zeitgenössische Kunst „kim?"** (s. S. 71) einen echten Namen unter Künstlern und Intellektuellen in der lettischen Hauptstadt gemacht.

Jungen Musikern und Klangkünstlern bietet der **Konzertsaal** (Spiķeru koncertzāle, s. S. 83) des Speicherviertels ein Zuhause. Regelmäßig spielt hier das seit 2006 bestehende Orchester **Sinfonietta Rīga** (www.sinfoniettariga.lv) vor allem Barockmusik und zeitgenössische Klassik. Im Dirty Deal Theater hingegen formiert sich die alternative Theaterszene Rigas, die von Schauspielabsolventen und jungen Regisseuren getragen wird.

EXTRATIPP

Kwass

Am Eingang zum Zentralmarkt ㊵ sitzt unter einem Sonnenschirm eine Frau vor einem kleinen gelben Wagen und zapft ein ganz besonderes Erfrischungsgetränk: Kwass, ein traditionelles, **alkoholfreies Gebräu aus Roggenmehl, Malz und Wasser,** das in Lettland und anderen osteuropäischen Ländern weit verbreitet ist. Sein Name bedeutet „saurer Trank", da Kwass einen leicht säuerlichen Geschmack hat. Kwass erhält man aber nicht nur am Zentralmarkt, das Getränk steht auch auf den Speisekarten vieler Rigaer Restaurants.

0461g Abb.: lk

Am Rande des Speicherviertels befindet sich das **Rigaer Getto-Museum** (s. S. 70). Während der deutschen Besatzungszeit wurden die Juden der Stadt unweit des Museums in das Rigaer Getto der Moskauer Vorstadt gepfercht. Mehr als 70.000 lettische und 20.000 aus Westeuropa deportierte Juden wurden in dieser Zeit ermordet. Die sich noch im Aufbau befindende Ausstellung erinnert an diese Geschichte und an das jüdische Leben in Lettland vor dem Holocaust.
> Spīķeru kvartāls, Maskavas iela 4 – 14, Tram 3, 4, 7, 9, 10 bis Haltestelle „Maskavas iela"

🞄 Dünapromenade ☆ ☆ [ej]

Ein wunderbarer Blick auf den mächtigen Strom der Düna (Daugava), die Nationalbibliothek 🞄, die Brücken von Riga und die Altstadt eröffnet sich von der neu angelegten Uferpromenade. Wer sich etwas **vom Trubel in der Innenstadt entspannen** möchte, findet auf den Bänken an der Düna die nötige Ruhe. Am einfachs-

🖼 *Blick von der Uferpromenade über die Düna mit dem Fernsehturm* 🞄 *im Hintergrund*

ten erreicht man die Promenade vom Speicherviertel 🞄 aus.

Ein echter Geheimtipp aber ist ein anderer Abschnitt der Dünapromenade, der sich im Stadtteil Ķengarags zwei Kilometer am Dünaufer erstreckt. Bereits jenseits der Moskauer Vorstadt (s. S. 48), wo nicht mehr bröckelnde Altbauten und pittoreske Holzhäuser, sondern sowjetische Plattenbauten das Stadtbild prägen, folgt die Promenade noch dem natürlichen Lauf des Flusses. Dort gehen die Einheimischen spazieren, joggen, fahren Rad oder kommen mit der ganzen Familie, um Schwäne zu füttern.
> Von der Haltestelle „Prūšu iela" der Straßenbahnlinie Nr. 7 gelangt man über die Kaņiera iela zur in Fahrtrichtung rechts gelegenen Düna. Die Promenade erstreckt sich bis zur Endhaltestelle.

🞄 Akademie der Wissenschaften ☆ [G7]

Bereits abseits der üblichen Touristenpfade erhebt sich schräg hinter dem Zentralmarkt 🞄 der **108 Meter hohe Wolkenkratzer** der Lettischen Akademie der Wissenschaften (Latvijas Zinātņu akadēmija), von dessen 17. Stockwerk sich ein **beeindru-**

045rg Abb.: lk

ckender **Panoramarundblick** über Riga bietet.

Erbaut wurde das monumentale ockergelbe Hochhaus zwischen 1951 und 1958 im Baustil des **sozialistischen Klassizismus** (auch „Zuckerbäckerstil" genannt) nach dem Vorbild ähnlicher Turmhäuser in Moskau, die als „sieben Schwestern" bekannt sind. Ursprünglich sollte der von den beiden lettischen Architekten Osvalds Tilmanis und Vaidelotis Apsītis geplante Wolkenkratzer als „Haus des Kolchosbauern" der Landbevölkerung für organisierte Stadtbesuche dienen und mit Hotelzimmern, einer Bibliothek und Konferenzräu-

men ausgestattet werden. Doch als das Hochhaus 1960 bezogen werden konnte, übergab man es der Akademie der Wissenschaften, die hier noch heute ihren Sitz hat.

> **Latvijas Zinātņu akadēmija**, Akadēmijas laukums 1, Tram 3, 7, 9 bis Haltestelle „Turgeņeva iela"
> **Panorāma Rīga**, www.panoramariga.lv, geöffnet: tgl. 8–22 Uhr, Eintritt: 4 €, Kinder frei

④④ Jesuskirche ★★   [G7]

Die evangelisch-lutherische Jesuskirche (Jēzus Evaņģēliski luteriskā baznīca) ist die **größte Holzkirche Lettlands**. In ihr findet jeden ersten Sonntag im Monat um 13 Uhr ein **deutschsprachiger Gottesdienst** statt. Dass Gottesdienste auf Deutsch und Lettisch in der Jesuskirche abgehalten werden, hat eine lange Tradition. Seit über einhundert Jahren bereits predigen deutsche und lettische Pfarrer hier zu ihrer Gemeinde. Eingeweiht wurde die Jesuskirche im Jahr 1822. 1938 wurde sie grundlegend renoviert. Ihre Vorgängerkirchen fielen immer wieder kriegerischen Auseinandersetzungen mit zaristischen, schwedischen oder napoleonischen Truppen zum Opfer.

> **Jēzus Evaņģēliski luteriskā baznīca**, Elijas iela 18, Tram 3, 7, 9 bis Haltestelle „Turgeņeva iela", Infos zum deutschen Gottesdienst: www.kirche.lv

④⑤ Ruine der Großen Choral-Synagoge ★   [G7]

Bis zum Zweiten Weltkrieg galt die Große Choral-Synagoge (Horālā sinagoga) als größtes und schönstes jüdisches Gotteshaus in Riga. Ihre Ruine ist heute ein **Mahnmal für die Opfer des Holocaust** in Lettland.

🔼 *Imposanter Wolkenkratzer im Zuckerbäckerstil: die Akademie der Wissenschaften*

Drei Tage nach dem Einmarsch der deutschen Truppen in Riga ließen die Nazis am 4. Juli 1941 fast alle Synagogen der Stadt von der lettischen Hilfspolizei niederbrennen – nur die Peitav-šul-Synagoge **❺** blieb erhalten. In der Großen Choral-Synagoge wurden etwa **300 Juden eingesperrt**, die Trümmer der Inneneinrichtung aufgeschichtet, mit Benzin übergossen und angezündet. Niemand überlebte.

Nach dem Krieg wurde die Ruine zugeschüttet. Erst seit 1988 erinnert ein Gedenkstein an die Toten. Im Jahr 2001 wurden die Kellerräume der Synagoge wieder freigelegt; seit 2007 steht ein weiteres Denkmal neben der Ruine, das dem lettischen Judenretter **Žanis Lipke** (Gedenkstätte s. S. 71) und anderen Letten gewidmet ist, die Juden während der deutschen Besatzung halfen.

› **Horālā sinagoga**, Gogoļa iela 25, Bus 18, 40, 42 u. Trolleybus 15, 19, 20, 24 bis Haltestelle „Gogoļa iela"

❹❻ Trödelmarkt Latgalīte ✶[H7]

Wem der Zentralmarkt **❹⓪** nicht exotisch genug war, der sollte etwas tiefer in die Moskauer Vorstadt vordringen und den Trödelmarkt Latgalīte aufsuchen. Hier fasziniert ein **riesiges Chaos an altem Krimskrams**, den kein Mensch mehr braucht und der doch verkauft werden soll. Von durchgerosteten Stahlhelmen bis zu zerlegten elektronischen Leiterplatten findet sich hier fast alles. In der Stadt ist der Trödelmarkt allerdings verrufen, denn allzu viele Rigaer glauben, ihr gestohlenes Fahrrad hier zum Verkauf angeboten zu bekommen.

› Sadovņikova 9 a, Bus 18, 40, 42 u. Trolleybus 15, 19, 20, 24 bis Haltestelle „Gogoļa iela", geöffnet: tgl. 8–17 Uhr

❹❼ Grebenschtschikow-Gebetshaus ✶✶ [dh]

Die Kirche ist der spirituelle Mittelpunkt für die Gemeinde der Rigaer Altgläubigen. Zweimal täglich finden hier Gottesdienste statt, die allein wegen der **beeindruckenden Gesänge** einen Besuch lohnen. Nur zu den Gottesdiensten ist auch der Hauptraum der Kirche mit seiner **sechsreihigen Ikonenwand** zu besichtigen. Die ältesten Ikonen der Kirche sollen aus dem 15. Jh. stammen.

In der Folge der Kirchenspaltung, die der Patriarch Nikon in Russland Mitte des 17. Jahrhunderts mit seinen Reformen auslöste, entstanden zahlreiche Strömungen des **altorthodoxen Glaubens**. Die Rigaer Gemeinde steht in der Tradition der Pomorischen Kirche, die das Priestertum ablehnt. Ein erstes Gebetshaus entstand 1760, brannte jedoch 1812 nieder. Das heutige Gebäude wurde 1814 errichtet und danach erweitert.

Seinen Turm – **der einzige vergoldete Kirchturm in Riga** – erhielt das Grebenschtschikow-Gebetshaus allerdings erst 1906. Als die deutschen Besatzer die goldene Kuppel während

KLEINE PAUSE

Frisch Gebackenes

Über weite Strecken ist das kulinarische Angebot in der Moskauer Vorstadt auf eher zwielichtige Eckkneipen beschränkt. Einen kleinen, gleichwohl schmackhaften Imbiss bekommt man in der **Konditoreja**. In diesem Stehcafé kann man süße und herzhafte Teigwaren verzehren, die frisch vor Ort gebacken werden.

⟳ 1 [dh] **Konditoreja**, Mazā Kalna iela 14/16, geöffnet: Mo.–Fr. 8–20, Sa. 9–19, So. 9–15 Uhr

des Zweiten Weltkriegs abnehmen lassen wollten, sollen Gemeindemitglieder zu ihrer Rettung sämtlichen persönlichen Schmuck gesammelt und abgegeben haben.

> Grebenščikova vecticībnieku kopienas lūgšanu nams, Mazā Krasta iela 73, Tram 3, 7, 9 bis Haltestelle „Daugavpils iela"

⓰ Mazā Kalna iela ✦✦ [dh]

Bei einem Spaziergang über die Kleine Bergstraße, wie die **Mazā Kalna iela** auf Deutsch heißt, lässt sich **ein vom Tourismus gänzlich unberührtes Riga** entdecken. Ausgangspunkt ist die gleichnamige Haltestelle der Straßenbahnlinie 7. Gleich gegenüber der Station erinnert am ehemaligen **Heumarkt** ein Denkmal an die pferdegezogenen Straßenbahnen des 19. Jahrhunderts, die seit 1882 ihren Dienst in Riga verrichteten.

Von diesem Denkmal den Berg hinauf führt der Weg vorbei an den für Riga so typischen Holzhäusern, von denen viele noch im 19. Jahrhundert errichtet wurden, bis zu der sehr sehenswerten **orthodoxen Johannes-der-Täufer-Kirche** (Svētā Jāņa Priekšteča Pareizticīgo baznīca) am Ende der Mazā Kalna iela. Sie ersetzte eine hölzerne Kapelle aus dem 19. Jahrhundert und wurde erst Ende der 1920er-Jahre fertiggestellt. Älter als die Kirche ist der sie umgebende **Friedhof**, der Besucher mit seiner verwunschenen Atmosphäre verzaubert.

> Johannes-der-Täufer-Kirche (Svētā Jāņa Priekšteča Pareizticīgo baznīca), Mazā Kalna iela, Tram 7 bis Haltestelle „Mazā Kalna iela"

▷ *Orthodoxe Johannes-der-Täufer-Kirche: die Moskauer Vorstadt ist russisch geprägt*

⓱ Armenische Kirche ✦ [di]

Den jüngsten Stein im interkulturellen Mosaik der Moskauer Vorstadt stellt die nach **Gregor dem Erleuchter** benannte Armenische Kirche (Armēņu apustuliskā baznīca) dar. Mit den Planungen für ihren Bau wurde in den 1990er-Jahren begonnen, fertiggestellt wurde sie erst 2008.

Die **Armenisch-Apostolische Kirche** selbst dagegen blickt auf eine lange Geschichte zurück: Im Jahr 301 war Armenien das erste Land der Welt, in dem das Christentum zur Staatsreligion wurde. Erstes Oberhaupt der Kirche war ebenjener Heilige Gregor, nach dem auch das Gotteshaus der Rigaer Gemeinde benannt ist. Bei den laut Volkszählung knapp 2700 Armeniern in Lettland handelt es sich zum größten Teil um Migranten aus sowjetischen Zeiten und deren Nachkommen.

> **Armēņu apustuliskā baznīca,** Kojusalas iela 5, Tram 3, 7, 9 bis Haltestelle „Mazā Kalna iela"

© rg. Abb.: rk

Erkundungen jenseits der Düna

Pardaugava – „jenseits der Düna" – heißt der Stadtteil am linken Flussufer, der jahrhundertelang überwiegend von armen lettischen Bauern und Landarbeitern bewohnt wurde. Noch Anfang des 20. Jh. lebte die Mehrheit von ihnen dicht gedrängt in ein- bis zweistöckigen Holzhäusern, meist ohne Anschluss an die städtische Wasserversorgung und mit einem von mehreren Familien geteilten Plumpsklo als größtem Luxus. Seit 1896 war der Stadtteil Pardaugava zumindest über eine stark frequentierte Pontonbrücke mit der Altstadt verbunden.

Viele der für Lettland so **typischen Holzhäuser** findet man noch heute jenseits der Düna, zum Beispiel gegenüber der Straßenbahnhaltestelle „Torņakalna stacija" [ai]. Auch das **Kalnciems-Viertel** – wo jeden Samstag ein sehr empfehlenswerter Wochenmarkt stattfindet (s. S. 88) – besteht aus einem Ensemble ansehnlicher Holzhäuser. Daneben lohnen auch die großflächigen Parkanlagen und die Uferstraße auf der Insel Ķipsala einen Besuch in Pardaugava. Wer gut zu Fuß unterwegs ist, erreicht die Sehenswürdigkeiten auf der anderen Seite des Flusses in gut einer halben Stunde. Ansonsten nutzt man am besten die **Straßenbahn** von der Haltestelle „Grēcinieku iela" [D5/6], um nach Pardaugava zu gelangen.

🔟 Ķipsala ★★ [A4]

Ķipsala ist eine Insel in der Düna mit romantischen, alten Holzhäusern, eleganten Anwesen der wohlhabenden Oberschicht und einer jüngst erbauten Gedenkstätte für den Judenretter Žanis Lipke. Die kleine Insel ist ein idealer Ort zum entspannten Flanieren abseits des Trubels der Altstadt.

Über eine **Schrägseilbrücke** gelangt man von der Rigaer Altstadt nach Ķipsala. Besonders lohnend ist ein Spaziergang entlang der unebenen **Kopfsteinpflasterstraße Balasta dambis** [A2–4] am Ufer der Düna, wo sich noch viele der so typischen lettischen Holzhäuser aneinanderreihen. Der Blick über den Fluss eröffnet ein weites Panorama der Rigaer Altstadt.

Über die Hauptstraße der Insel (Ķipsalas iela [A3/4]) erreicht man die versteckt gelegene **Gedenkstätte für Žanis Lipke** (s. S. 71). Während des Zweiten Weltkriegs versteck-

⊟ *Panoramablick auf Riga von der Insel Ķipsala*

083rg Abb.: mb

te Lipke, der als Lagerarbeiter für die deutschen Besatzer arbeitete, jüdische Arbeiter aus dem Getto in einem drei mal drei Meter großen Bunker in seinem Garten. Als die Zahl der in Sicherheit gebrachten Menschen immer größer wurde, organisierte Lipke ihren Transport nach Dobele, einer kleinen Gemeinde etwa 80 Kilometer von Riga entfernt. Fast 50 Menschen rettete Lipke so zusammen mit seinen Helfern vor dem sicheren Tod. Ein neu erbautes Museum erinnert mit einer Ausstellung an das Leben von Žanis Lipke und seine Rettungsaktion.

Die Architektur des **schlichten, fensterlosen Bauwerks aus dunklem Holz** soll an die Arche Noah erinnern, als diese nach der Flut das rettende Land mit den glücklichen Überlebenden erreichte. Auch der Bunker wurde nachgebaut, allerdings ist er nicht zugänglich, sondern nur von oben zu betrachten. Dem Architekten zufolge soll sich der Besucher nicht mit dem individuellen Schicksal der hier versteckten Menschen identifizieren, vielmehr soll ihrem Mut und ihrer Hoffnung über das Ereignis hinaus eine tiefere Bedeutung gegeben werden.

🅛 Schwimmende Kunstgalerien Betanovuss und Noass ☆ [B6]

Auf **zwei Schiffen am linken Ufer der Düna** präsentiert sich die alternative Kunst- und Kulturszene Rigas. In den schwimmenden Kunstgalerien werden zeitgenössische Werke verschiedener Kunstgenres ausgestellt. Jährlich im August findet auf den Schiffen das **Video- und Kunstfestival „Wasserstücke"** *(„Üdensgabali")* statt. Außerdem beherbergt das Noass ein **Archiv für Videokunst**, das nahezu die gesamte Geschichte lettischer

Videokunst umfasst. Auch das zuvor auf der Halbinsel Andrejsala angesiedelte **Museum für Naive Kunst** findet sich derzeit auf einem der Schiffe.

> **Mākslas galerijā Noass un Betanovuss,** AB Dambis 2, Tram 2, 4, 5, 10 bis Haltestelle „Valguma iela", www.noass.lv

🅛 Lettische Nationalbibliothek ☆ [C7]

Ein 68 Meter hohes, **pyramidenförmiges Gebäude aus Stahl und Glas** gilt als neuer Leuchtturm der lettischen Kultur. Weithin sichtbar erstrahlt der Neubau der Lettischen Nationalbibliothek am linken Ufer der Düna.

Mit einer beeindruckenden Bücherkette wurden zur Eröffnung des **Kulturhauptstadtjahrs 2014** die ersten 2000 Druckwerke an ihren neuen Standort gebracht. Etwa 14.000 Menschen reichten sie von Hand zu Hand zum „Schloss des Lichts", das von dem amerikanisch-lettischen Architekten Gunnar Birkerts entworfen wurde. Wegen ihrer hohen Kosten war die neue Bibliothek in der lettischen Bevölkerung allerdings stark umstritten.

Der ungewöhnliche Beiname der Bibliothek leitet sich aus einer **lettischen Legende** ab. Ihr zufolge wird sich ein versunkenes Schloss des Lichts aus den Wellen der Düna erheben, wenn das lettische Volk die Zeit der blutigen Unterdrückung hinter sich gelassen hat und frei ist.

> **Latvijas Nacionālā bibliotēka,** Mūkusalas iela 3, Bus 10, 23, 26 bis Haltestelle „Ķīpu iela" oder Tram 2, 4, 5, 10 bis Haltestelle „Valguma iela", www.lnb.lv

▷ *Mahnmal für die nach Sibirien deportierten Letten am Bahnhof Torņakalns*

049rg Abb.: rk

⑤③ Siegespark ★ [A7]

Im Siegespark (Uzvaras parks) erinnert ein typisch sowjetisches Denkmal an das Ende des Zweiten Weltkriegs. Im Jahr 1985 wurde ein **79 Meter hoher Obelisk** errichtet, an dessen Fuß zwei Skulpturen symbolisch den Sieg der Roten Armee über den Faschismus und die Befreiung Rigas durch die Sowjetarmee abbilden. Es heißt, das Siegesdenkmal sei die Antwort der sowjetischen Machthaber auf das Freiheitsdenkmal ㉗ der Letten im Zentrum Rigas.

Um der glorreichen Zeit der Sowjetunion zu gedenken und an das Ende des Zweiten Weltkriegs zu erinnern, treffen sich bis heute jedes Jahr am 9. Mai Tausende **russischsprachige Einwohner** Rigas im Siegespark. Erfolglos versuchten deshalb lettische Nationalisten 1997, den Obelisken als Symbol der sowjetischen Okkupation zu sprengen. Die meiste Zeit ist der Siegespark allerdings fast menschenleer, nur gelegentlich sieht man dort Jogger, Hundebesitzer oder Skater. In den Wintermonaten ist der Siegespark bei **Skilangläufern** recht beliebt.

❯ **Uzvaras parks,** Tram 10 bis „Slokas iela"

⑤④ Bahnhof Torņakalns ★ [ai]

Der kleine 1868 eröffnete Bahnhof Torņakalns (Torņakalna stacija) ist ein romantischer und tragischer Ort zugleich. Vor dem **Bahnhofsgebäude aus Holz** verläuft eine ruhige Straße mit Kopfsteinpflaster, gepflegte Grünanlagen umschließen das Bahnhofsgelände, Sonnenschein taucht ihn in eine Postkartenidylle. Ein alter, geschlossener Güter- oder Viehwaggon auf einem Abstellgleis aber erinnert daran, dass von Torņakalns in den Jahren 1941 und 1949 **Zehntausende Letten nach Sibirien deportiert** wurden.

Am 14. Juni 1941 wurden über 15.000 Letten von den Sowjets in Viehwagen gepfercht und nach Sibirien verbannt. Ganze Familien wurden als „antisowjetische Elemente" verschleppt, Männer wurden von ihren Familien getrennt und zur **Zwangsarbeit** herangezogen. Bei einer zweiten Welle der Deportation wurden am 25. März 1949 über 42.000 Letten vor allem aus ländlichen Regionen in den Osten Russlands gebracht. Viele starben dort an Kälte, Hunger oder Krankheiten. Erst Jahre später durften die Überlebenden zurückkehren. Heute ist der Bahnhof eine **Gedenkstätte für die „Opfer des kommunistischen Terrors"**, der wie ein Trauma noch immer das Land beschäftigt.

> **Torņakalna stacija,** Tram 10 bis Haltestelle „Torņakalna stacija" oder mit der Bahn vom Hauptbahnhof eine Station Richtung Jūrmala

55 Fernsehturm ☆ [ci]

Mit seinen 368,5 Metern ist der Rigaer Fernsehturm (Televizijas tornis) wenige Zentimeter höher als sein Berliner Pendant und damit der **höchste Fernsehturm in der Europäischen Union.**

Die Aussichtsplattform befindet sich leider nur in 97 Meter Höhe, bietet aber trotzdem einen weiten Blick über die Rigaer Altstadt, die Vororte und den Lauf der Düna. Bei gutem Wetter kann man sogar bis zur Ostsee schauen.

Erbaut wurde der Rigaer Fernsehturm in den Jahren 1979 bis 1986 auf der **Insel Zaķusala in der Düna** (Daugava). Zuvor befand sich auf Zaķusala eine Siedlung mit etlichen kleinen Einfamilienhäusern, die allesamt mit dem Bau des Turms verschwunden sind.

Im Januar 1991, als die Letten ihre Hauptstadt verbarrikadierten, um die noch junge Unabhängigkeit des Landes gegen die Sowjetunion zu verteidigen, zählte der Fernsehturm zu den strategisch wichtigen Gebäuden der Stadt. Um die Hoheit über Funk und Fernsehen nicht an die Gegner der lettischen Unabhängigkeit zu verlieren, wurden vor dem Turm und auf der Brücke zur Insel **massive Barrikaden** errichtet (s. Exkurs S. 35).

Heute erinnert nichts an die einstige Bedeutung des Fernsehturms. Das Gelände auf der Insel liegt brach, nur Fahranfänger üben hier gelegentlich auf der verwaisten Straße.

> **Televizijas tornis,** Trolleybus 19 u. 24 bis Haltestelle „Zaķusala" auf der Inselbrücke, anschließend 20 Min. Fußweg, geöffnet: Mai–Sept. tgl. 10–20 Uhr, Okt.–Mai Mo.–Sa. 10–17 Uhr, Eintritt: 3,70 €, erm. 2 €, Kinder 1 €

Entdeckungen außerhalb des Zentrums

Auch außerhalb des Rigaer Stadtzentrums finden sich sehenswerte Orte. Wer dem Trubel und der Enge der Altstadt entkommen möchte, findet viel Natur zum Erholen. Junge Kreative haben abseits des Stadtkerns ihre Geschäftsideen verwirklicht und in der Straße Miera iela kleine, bunte Läden eröffnet. Eindrucksvolle Gedenkstätten erinnern an einschneidende Ereignisse der lettischen Geschichte. Alle Sehenswürdigkeiten sind mit Bus oder Tram innerhalb einer halben Stunde zu erreichen.

56 Miera iela ☆☆ [H1]

Die Miera iela wurde von der jungen Kreativszene Rigas erobert. Zahlreiche kleine, sympathische Läden mit teils skurrilen Geschäftsideen reihen sich hier aneinander. Die holprig gepflasterte Straße, einige unsanierte Holzhäuser, verfallende Jugendstilbauten und ein süßer Duft von Schokolade in der Luft, der von der Laima-Süßwarenfabrik herüberweht – dies alles verleiht der Straße einen ganz eigenen Charme.

05Org Abb.: mb

In den Geschäften lassen sich **ungewöhnliche Alltagsgegenstände aus dem 20. Jahrhundert** erstehen (Nr. 4), **Gebrauchsgegenstände aus leeren Flaschen** kaufen (Nr. 10) oder **Kleider aus unterschiedlichen Jahrzehnten** des letzten Jahrhunderts mieten (Nr. 39). Daneben empfangen gemütliche **Cafés** Spaziergänger mit Stühlen und Sofas auf dem Bürgersteig und laden zum Verweilen in der Miera iela – der Friedensstraße – ein.

An der Straße werden zudem die als Souvenir sehr beliebten Pralinen und Schokoladen der Firma Laima verkauft (Nr. 22). Neben einem Fabrikverkauf gibt es auch ein **Schokoladenmuseum** (s. S. 73), in dem man alles über die Geschichte der Schokoladenherstellung in Lettland und das ein oder andere Geheimnis über die süße Nascherei erfahren kann.

Nächtens zieht es das Rigaer Partyvolk bevorzugt in die Klubs und Kneipen auf dem benachbarten Gelände der ehemaligen Brauerei Stritzky. Zwischen Miera iela und Valdemāra iela haben sich u. a. die **Klubs Piens** und **OneOne** (s. S. 82), die Handwerksbrauerei **Alus Darbnīca Labietis** (s. S. 80) und das Lokal **Valmiermuiža** (s. S. 76) angesiedelt.

❯ **Miera iela,** Tram 11 bis Haltestelle „Brīvības iela"

🅱 **Brüderfriedhof** ★★

Nordöstlich des Stadtzentrums liegen große und beeindruckende Friedhöfe. Während der Brüderfriedhof (Brāļu kapi) als gewaltiges Mahnmal an die Toten des Ersten Weltkriegs erinnert, trifft man beim Spaziergang über die beiden angrenzenden Friedhöfe auf die Gräber bekannter und unbekannter Einwohner der Stadt.

Der **Brüderfriedhof** ist ein riesiges, **imponierendes Nationaldenkmal** für die Gefallenen des Ersten Weltkriegs und des lettischen Unabhängigkeitskampfs von 1915 bis 1920. Etwa 3000 Soldaten haben hier ihre letzte

◹ *Eingangsportal zum Brüderfriedhof (Brāļu kapi)*

Ruhe gefunden. Vom monumentalen Eingangstor führt zunächst ein von Linden gesäumter, gut 200 Meter langer Gedenkweg zur Heldenterrasse. Dort brennt auf dem von einem Eichenhain umgebenen Altar die ewige Flamme. Erst von der Terrasse eröffnet sich der Blick über das tief zu Füßen liegende Gräberfeld, an dessen gegenüberliegendem Ende die Statue der „Mutter Lettland" *(Māte Latvija)* mit traurig gesenktem Kopf auf die Skulpturen zweier Brüder, ihre gefallenen Söhne, niederblickt. Die Gräber der Soldaten auf dem Brüderfriedhof sind sehr schlicht, doch der Schmerz über ihren Tod zeichnet die Gesichter der vielen weiblichen Standbilder um das Gräberfeld, die jenen Frauen gewidmet sind, deren Männer und Söhne ihr Leben im Krieg verloren.

An den Brüderfriedhof grenzt im Südwesten der **Rainis-Friedhof**, im Osten der riesige **Waldfriedhof**. Auf beiden Friedhöfen finden sich zahlreiche Grabstätten bedeutender Persönlichkeiten Lettlands. Dem großen lettischen Dichter Rainis (1865–1929) wurde auf dem nach ihm benannten Friedhof auch ein Denkmal errichtet. Auf dem Waldfriedhof ruht, neben vielen anderen, in einer kolossalen Grabstätte Jānis Čakste (1859–1927), der erste Präsident Lettlands.

> **Brāļu kapi,** Tram 11 bis Haltestelle „Brāļu kapi"

🔟 Mežaparks ★★

Mežaparks (Kaiserwald) ist ein Stadtteil im Nordosten Rigas mit ansehnlichen Jugendstilvillen und einem riesigen Park, der den Einwohnern Rigas als Naherholungsgebiet dient und auf dessen Freilichtbühne alle fünf Jahre ein atemberaubendes Spektakel stattfindet.

In der Parkanlage des Mežaparks treffen Spaziergänger auf Jogger, Radfahrer und Inlineskater, Kinder spielen am Badestrand des Stintsees (Ķīšezers), große Abenteurer zieht es in einen **Kletterpark** in den Wipfeln der Kiefern, kleine Abenteurer auf den Erlebnisspielplatz. Urlauber können Fahrräder auch vor Ort ausleihen. Inmitten des Mežaparks befindet sich eine große **Freilichtbühne** (Mežaparka liela estrāde), auf der nicht nur regelmäßig Konzerte stattfinden, sondern alle fünf Jahre auch **das lettische Sängerfest** (s. Exkurs S. 62) mit mehreren Zehntausend Teilnehmern abgehalten wird. Dieses Sängerfest ist ein kulturelles Großereignis in Lettland und wichtiger Teil des kulturellen Erbes der Letten.

Die **Gartenstadt Mežaparks** vor den Toren Rigas wurde Anfang des 20. Jahrhunderts erbaut, um die Bedürfnisse der Stadtbewohner nach Natur und frischer Waldluft mit den Vorteilen einer Großstadt zu vereinen. Nach einer Idee des Briten Sir Ebenezer Howard (1850–1928) wurden Einfamilienhäuser im hügeligen Fichtenwald errichtet. Die stadtplanerischen Vorgaben einer der ersten Gartenstädte Europas erlaubten keine Zäune zwischen den einzelnen Grundstücken und die Höhe der Villen wurde auf zwölf Meter begrenzt.

In den eindrucksvollen **Jugendstilvillen** im Kaiserwald wohnten zunächst vor allem wohlhabende Deutschbalten, nach der lettischen Unabhängigkeit 1918 zog vor allem die lettische Intelligenz, unter ihnen viele Kulturschaffende, in die Gartenstadt. Ab 1903 verband eine Pferdestraßenbahn den Kaiserwald mit der Rigaer Innenstadt, seit 1910 fährt eine elektrische Tram. Während der

Historische Straßenbahn

Von Mai bis September fährt an den Wochenenden eine Retro-Straßenbahn im Design des frühen 20. Jahrhunderts vom Stadtzentrum zum Mežaparks **58**. Abfahrt ist zum Beispiel von den Straßenbahnhaltestellen vor dem Nationaltheater **36** und der Nationaloper **25**, wo auch Pläne mit den genauen Abfahrtszeiten aushängen. Die Fahrt auf den Holzbänken ist eine lohnende Abwechslung, zumal das Ticket mit 2 € nur wenig mehr als eine normale Straßenbahnfahrt kostet.

Sowjetzeit verwahrloste die Gartenstadt, doch seit der lettischen Unabhängigkeit 1991 wurden viele der heruntergewirtschafteten Gebäude renoviert und einige neue Jugendstilhäuser errichtet. Besonders eindrucksvolle Jugendstilbauten finden sich an der Hamburgas iela und der Anna Sakses iela.

Während der deutschen Besatzungszeit befand sich in Mežaparks das **KZ Kaiserwald**, in dem in den Jahren 1943/1944 insgesamt mindestens 18.000 Häftlinge interniert waren und zur Arbeit gezwungen wurden. Viele von ihnen waren ungarische Juden. Als sich die Rote Armee Riga näherte, wurde das KZ bis zum September 1944 geräumt. Tausende von „Arbeitsunfähigen" wurden ermordet, die anderen Häftlinge wurden in das Konzentrationslager Stutthof bei Danzig deportiert. Lediglich ein **Denkmal am Meža prospekts** erinnert heute noch an das KZ Kaiserwald.

› **Mežaparks**, Tram 11 bis Haltestelle „Mežaparks"

59 Zoologischer Garten ☆

Wer schon immer davon geträumt hat, einer Giraffe ins Auge zu blicken, der ist im Rigaer Zoologischen Garten (Rīgas zoodārzs) richtig. Auf einer weitläufigen Anlage **im Stadtteil Mežaparks 58** leben in dem 1912 gegründeten Tierpark 3000 Vertreter von rund 500 Arten. Ein **gemütliches Flair** erhält der Zoo durch Kwass (s. S. 50) und Luftballonverkäuferinnen am Wegesrand. Während ein Teil der Anlagen bereits vorbildlich modernisiert wurde, erinnern andere Gehege leider immer noch an die sowjetische Vergangenheit.

Neben dem **Giraffenhaus**, wo der Besucher tatsächlich auf Kopfhöhe einer Giraffe gelangen kann, ist auch das **Alligatorenbassin** beeindruckend. Von 1935 bis 2007 lebte dort ein Mississippi-Alligator, der nicht nur einer der ältesten Exemplare seiner Art wurde, sondern auch die wechselhaften Zeiten vom Zweiten Weltkrieg über die sowjetische Besatzung bis zur Futtermittelknappheit im wieder unabhängigen Lettland Anfang der 1990er-Jahre mit- und überlebte.

› Rīgas zoodārzs, Meža prospekts 1, Tram 11 bis Haltestelle „Mežaparks", www.rigazoo.lv, geöffnet: Sommer tgl. 10 – 19 Uhr, Winter tgl. 10 – 17 Uhr, Kasse schließt eine Stunde früher, Eintritt: 6 €, erm. 4 €

60 Ethnografisches Freilichtmuseum ☆☆☆

Das Ethnografische Freilichtmuseum in Riga ist so etwas wie eine Miniaturversion Lettlands. Idyllisch an einem See gelegen, ist es ein Museum für Museumsmuffel, ein Ort für die ganze Familie und nicht zuletzt ein Schlüssel zum Verständnis Lettlands.

Eine knappe Stunde Fahrtzeit muss man von Rigas Zentrum bis zum **am Jägelsee** (Juglas ezers) gelegenen Lettischen Ethnografischen Freilichtmuseum einplanen. Auf dem 87 ha großen, hügeligen und mit Kiefern bewachsenen Gelände kann man gut und gerne einen ganzen Tag verbringen, ohne zu merken, wie die Zeit vergeht.

Am Jägelsee stehen 118 beeindruckende **Blockhäuser, Scheunen, Windmühlen und Kirchen aus Holz,** von denen die ältesten Bauten aus dem 17. Jahrhundert stammen. Auf dem Museumsgelände sind sie nach den historischen Regionen Lettlands – Kurland, Livland, Semgallen und Lettgallen – angeordnet.

Im Museum geht es durchaus lebendig zu: Bevölkert wird das Gelände von allerlei **Handwerkern, die ihre Künste vorführen**, in einem **al**ten Wirtshaus kann man sich ebenso

Das lettische Sängerfest

*Alle fünf Jahre versammeln sich die Letten zu einem kulturellen Großereignis. Eine Woche lang treffen über 30.000 Sängerinnen und Sänger, Chöre, Tanz- und Folkloregruppen aus ganz Lettland in Riga zusammen. Auf diesem **Lieder- und Tanzfest** singen und feiern die Letten in ihren historischen Trachten zusammen mit ausländischen Gästen. Die ganze Stadt ist in dieser Zeit in Festlaune. Höhepunkt ist das **Abschlusskonzert im Mežapark ⚄**, wo auf der Freilichtbühne ein Chor von 13.000 Menschen singt. Um am Sängerfest in Riga teilnehmen zu können, müssen sich die Chöre allerdings in einer Vielzahl von Wettbewerben im ganzen Land qualifizieren.*

*Ähnliche Sängerfeste gibt es auch in Estland und Litauen. Von der UNESCO wurden die baltischen Lieder- und Tanzfeste zum **immateriellen Weltkulturerbe** erklärt. Und das lettische Parlament hat sogar ein eigenes Gesetz zum Sängerfest erlassen, um die Tradition der Veranstaltung zu sichern. Denn das lettische Sängerfest ist eng verbunden mit dem Entstehen der lettischen Nation.*

Das erste lettische Sängerfest fand 1873 statt. Der „Rigaer Letten Verein" rief Chöre aus den Provinzen Livland und Kurland dazu auf, durch das gemeinsame Singen die lettische Nation zu einen und sie den auf einer „höheren Kulturstufe stehenden Völkern" anzunähern. Seitdem findet das Sängerfest trotz aller politischen Wirren regelmäßig statt, auch wenn zu Sowjetzeiten russische Soldatenchöre einen Großteil des Programms bestritten.

*Welche Macht die lettischen Sängerinnen und Sänger entfalten können, zeigte sich während der **lettischen Unabhängigkeitsbewegung.** Im November 1989 versammelten sich mindestens 250.000 Menschen an der Düna in Riga, um für die Unabhängigkeit des Landes zu singen. Im Juli des folgenden Jahres strömten noch einmal so viele Menschen zum letzten offiziellen Sängerfest vor der Wiedererlangung der Unabhängigkeit Lettlands. Dieses ergreifende Schauspiel, das auch in Estland und Litauen stattfand, gab dem Unabhängigkeitskampf der baltischen Staaten den Namen „Singende Revolution". Das nächste Sängerfest findet 2018 statt.*

wie auf einer gemütlichen Picknick-wiese stärken und in den **Gärten** der alten Bauernhäuser wird auch heute noch Gemüse angebaut. Nach einem Rundgang über das Museumsgelän-de hat man im Sommer die Möglich-keit, im Jägelsee zu baden oder in den Kiefernwäldern Blaubeeren zu suchen.

Erste historische Holzhäuser wur-den bereits 1928 an den Jägelsee versetzt. Die Geschichte des Freilicht-museums geht allerdings zurück bis ins Jahr 1868, als im Zuge des natio-nalen Erwachens der „**Rigaer Letten Verein**" (s. Junggletten-Exkurs S. 37) gegründet wurde. Dieser Verein be-fasste sich mit dem Sammeln folklo-ristischen und ethnografischen Mate-rials aus allen Regionen des heutigen Lettlands und konnte 1892 ein ers-tes kleines Museum eröffnen. Nach dem Ersten Weltkrieg und der folgen-den Unabhängigkeit Lettlands ersann 1924 der Architekturprofessor Pauls Kundziņš (1888–1983) die Idee, ein Freilichtmuseeum zu errichten, in dem die für die lettische Kultur so ty-pischen Holzbauten aus allen Regio-nen Lettlands stehen sollten.

Ein Besuch im Freilichtmuseum ist nicht nur ein abwechslungsreicher Ausflug ins Grüne, sondern auch eine **Reise ins bäuerliche Lettland** vergan-gener Zeiten: Wer nach einem langen Tag im Museum auf dem Weg zum Bus auf die vielbefahrene Brīvības gatve gelangt, fühlt sich, als käme er von einer Zeitreise zurück in die Gegenwart.

> **Latvijas Etnogrāfiskais brīvdabas muzejs,** Brīvības gatve 440, Bus 1, 19, 28 bis Haltestelle „Brīvdabas muzejs", www.brivdabasmuzejs.lv, geöffnet: Museumsgebäude tgl. 10–17 Uhr, Gelände im Sommer bis 20 Uhr, Eintritt: Mai–Okt. 4 €, erm. 2,50 €, Nov.–April 2 €, erm. 1,40 €

☑ Historisches Blockhaus im Ethnografischen Freilichtmuseum

052 rg Abb.: mb

❻❶ Biķernieki ⋆

Abgeschieden von der Hektik der Stadt mahnt inmitten des Kiefernwaldes von Biķernieki ein Ensemble von **5000 Stelen, geschlagen aus dunklem Granit,** an die grausamen Verbrechen der Jahre 1941 bis 1944. Damals wurden in diesem Waldstück etwa 35.000 Menschen in Massengräbern verscharrt. Viele von ihnen waren lettische und westeuropäische Juden sowie politische Gegner des NS-Regimes, vor allem Kommunisten, die in Biķernieki von der deutschen Sicherheitspolizei und lettischen Hilfskräften erschossen wurden. Mehrere Tausend sowjetische Kriegsgefangene waren bereits an Hunger, Krankheiten oder Kälte gestorben, als man sie nach Biķernieki brachte und vergrub.

Die genaue Zahl der Opfer in den **55 Massengräbern im Wald** von Biķernieki wird allerdings nie genau geklärt werden können. Denn mit dem Rückzug der deutschen Wehrmacht aus der Sowjetunion begannen im April 1944 deutsche SS-Sonderkommandos, die Spuren der deutschen Verbrechen zu vernichten. Die Massengräber wurden ausgehoben und die Leichen samt der an der Aktion beteiligten Zwangsarbeiter verbrannt.

Während der Sowjetzeit gab es im Wald von Biķernieki lediglich eine Gedenktafel, die an die grausame Ermordung der Menschen an diesem Ort erinnerte. Erst im Jahr 2001 erbaute der Volksbund Deutsche Kriegsgräberfürsorge eine **Gedenkstätte.** Um einen symbolischen Altar gruppieren sich Tausende Granitstelen, die an Grabsteine auf jüdischen Friedhöfen erinnern. Einige der Stelen tragen die Namen europäischer Städte, aus denen die Opfer der Massenexekutionen stammten. An den Seiten des Altars ist in vier Sprachen ein Zitat aus dem Buch Hiob gemeißelt: „Ach Erde, bedecke mein Blut nicht, und mein Schreien finde keine Ruhestatt."

❭ Wald von Biķernieki (Biķernieku mežs), Bus 16 bis Haltestelle „Kapi", dann etwa 100 Meter in Fahrtrichtung laufen, oder Trolleybus 14, 18 bis Haltestelle „Eisenstein iela", von dort 20 Minuten Fußweg entlang der Biķernieku iela bis zur Gedenkstätte

❻❷ Jūrmala ⋆⋆⋆

Jūrmala ist das beliebteste Seebad des Baltikums. Der feine Sandstrand lockt in den warmen Sommermonaten viele Einwohner Rigas in den nur 25 Kilometer entfernten Kurort. Aber auch die reich verzierten Sommerhäuser und Jugendstilvillen aus Holz ziehen lettische wie internationale – vor allem russische – Gäste nach Jūrmala. Die Stadt erstreckt sich weitläufig entlang der Rigaer Bucht, ihr unangefochtenes touristisches Zentrum ist aber der Ortsteil Majori mit seinem belebten, sauberen Badestrand und einer bei Besuchern sehr beliebten Fußgängerzone. Dort findet sich eine Vielzahl an Cafés, Restaurants, Hotels und Souvenirläden.

Wer während seines Aufenthalts in Riga einen Tag **Strandurlaub** machen möchte, ist in Jūrmala genau richtig. In Majori gibt es alles, was das Herz eines Tagesausflüglers begehrt. Am überwachten Strand finden sich Volleyballfelder, Spielplätze für Kinder, Tretbootverleihe, Imbisse und Eisverkäufer. Je weiter man sich nach Westen oder Osten von Majori entfernt, desto ruhiger wird es auch am

Kilometerlange Sandstrände: das Ostseebad Jūrmala

Strand. Auf Deutsch heißt das heutige Touristenviertel übrigens „**Majorenhof**". Die gesamte Halbinsel gehörte einst dem deutschbaltischen Baron von Fircks.

Jūrmala lohnt sich aber durchaus auch für einen etwas längeren Besuch. Die **Kurhäuser** im Seebad bieten ein umfangreiches Programm an Erholungs- und Heilanwendungen. Kunst- und Architekturfreunde finden einige kleine, interessante Museen und vor allem eine **einzigartige Holzarchitektur**. Um die Wende vom 19. zum 20. Jahrhundert wurden in Jūrmala viele mehrstöckige Jugendstilvillen aus Holz erbaut, die oft mit kunstvollen Ornamenten bereichert wurden. Über 400 dieser Bauten befinden sich heute in der Liste der Architekturdenkmäler der Stadt. Ein riesiger **Aquapark** (s. S. 120) bietet Kindern und Aktivurlaubern einen Ort zum Austoben. Außerdem finden das ganze Jahr über, insbesondere in den Sommermonaten, Sport- und Kulturveranstaltungen in Jūrmala statt, die weit über Lettland hinaus bekannt sind. Auf großes Interesse stieß jeden Sommer das **internationale Popmusikfestival „Neue Welle"**, bei dem vor allem auch Showgrößen aus Russland auftraten. Aufgrund der politischen Situation findet es nun jedoch im russischen Sotschi statt.

Die Geschichte Jūrmalas als Seebad geht zurück bis ins 19. Jahrhundert. Nach dem Krieg gegen Napoleon 1812 richteten Fischer erste Unterkünfte für Offiziere der russischen Armee her, die zur Erholung nach Jūrmala kamen. Mit der Eröffnung einer Eisenbahnlinie 1877 begann der Aufstieg Jūrmalas zu einem der bedeutendsten Kurorte im Russischen Reich. Viele Rigaer zogen von Mai bis September in ihre Sommerhäuser am Meer und immer mehr Erholungsuchende aus dem Russischen Reich zog es in das Seebad. Zu Sowjetzeiten schließlich entwickelte sich Jūrmala zu einem Ort des Massentourismus. Und noch heute ist der Küstenort vor Riga vor allem bei russischen Gästen sehr beliebt.

❭ **Anfahrt:** Nach Jūrmala verkehren regelmäßig Busse und Bahnen vom Hauptbahnhof in Riga (s. S. 111). Regionalzüge fahren etwa alle 30 Minuten vom Rigaer Hauptbahnhof in Richtung Dubulti, Sloka und Tukums. Der erste Halt in Jūrmala ist der Bahnhof „Lielupe", der wichtigste Bahnhof „Majori" und der westlichste Halt „Sloka". Kleinbusse fahren etwa alle 10 Minuten gegenüber vom Hauptbahnhof ab. Tickets erhält man beim Fahrer. Autofahrer müssen

KLEINE PAUSE

Schlemmen im Kartoffelrestaurant

Ein vorzüglicher Ort zum Einkehren ist das gemütliche Kartoffelrestaurant **Tupenkrogs** in Jūrmala ㊷. Kartoffelsuppe, Kartoffelpuffer und Kartoffelauflauf: Bei einem Blick auf die Speisekarte ist man überrascht, wie vielseitig der Erdapfel in der lettischen Küche eingesetzt wird.

🍴3 **Tupenkrogs** €€, Amulas iela 6, Jūrmala, www.tupenkrogs.lv, Tel. 20214664, geöffnet: in der Sommersaison tgl. 11–22 Uhr. Man erreicht das Restaurant entweder bei einem ausgedehnten Strandspaziergang (etwa drei Kilometer westlich vom Hauptort Majori) oder von der Bahnstation „Jaundubulti" aus.

von April bis September bei der Einfahrt nach Jūrmala eine Gebühr in Höhe von 2 € bezahlen. Von Mai bis September verkehrt einmal am Tag ein Schiff zwischen Riga und Jūrmala. Abfahrt ist um 11 Uhr vom Kai gegenüber dem Rigaer Schloss ㉑, Rückfahrt 17 Uhr vom Hauptort Majori. Die Überfahrt dauert 2 ½ Std. Die Hinfahrt kostet 20 € (erm. 10 €), die Rückfahrt 15 € (erm. 10 €).

❶2 **Jūrmalas Tūrisma Informācijas Centrs**, Lienes iela 5, www.tourism.jurmala.lv, geöffnet: Mo. 9–18, Di.–Fr. 9–17, Sa. 10–17, So. 10–15 Uhr. Die Touristeninformation liegt gegenüber Bhf. Majori.

RIGA ERLEBEN

002rg Abb.: lk

070rg Abb.: mb

Riga für Kunst- und Museumsfreunde

Riga gilt vielleicht nicht als Eldorado für Museumsliebhaber. Dennoch hat die Stadt einiges für architektur-, geschichts- und kunstinteressierte Besucher zu bieten. Die Museen der Stadt werden in der Regel liebevoll geführt, auch wenn den Ausstellungen manchmal eine inhaltliche und technische Auffrischung oder ein modernes Museumskonzept gut tun würde.

Erster **Anlaufpunkt für Museumsfreunde** ist sicher das Lettische Okkupationsmuseum (zur Zeit nur provisorische Ausstellung), denn dort bekommt man anschaulich die lettische Sicht auf die wechselhafte Geschichte des kleinen Landes im 20. Jahrhundert erzählt. Auch die Žanis-Lipke-Gedenkstätte, das Filmmuseum und das Jugendstilmuseum lohnen unbedingt einen Besuch. Und wer genug Zeit mitgebracht hat, sollte sich einen Ausflug ins Ethnografische Freilichtmuseum nicht entgehen lassen.

Für **Architekturfreunde** ist Riga ein **wahres Mekka**, denn es ist eine der wichtigsten Jugendstilmetropolen Europas. Infos über spezielle Führungen durch die Rigaer Jugendstilarchitektur erhält man in der Touristeninformation im Schwarzhäupterhaus (s. S. 117).

Museen

Geschichtsmuseen

🏛 4 [G2] **KGB-Haus,** Brīvības iela 61, www.okupacijasmuzejs.lv, geöffnet: Mo./Di. 10–17.30, Mi. 12–19, Sa./So. 10–16 Uhr, Eintritt: frei. Führung „In den Kellern des KGB" (engl.): Mo., Do.–So. 10.30 und 13.30, Mi. 12 und 15 Uhr, Eintritt: 5 €, erm. 2 €. Deutschsprachige Führungen auf Anfrage. Das „Eckhaus" ist in Lettland das Symbol für das totalitäre sowjetische Regime. Besucher können die einst gefürchteten Räume des sowjetischen Geheimdienstes besichtigen

◁ *Vorseite: Die Düna (Daugava), Rigas mächtiger Strom*

◹ *„Schräge" Kunst im Museum für dekorative Kunst und Design* ⓭

und auf einem geführten Rundgang auch in die Gefängniszellen im Keller hinabsteigen. Die Ausstellung erzählt (auf Englisch) von der Allmacht des KGB, Verfolgung, Deportationen, Folter und Hinrichtungen.

> **Lettisches Kriegsmuseum im Pulverturm ㉓**. Das Zurschaustellen von Waffen und Uniformen auf mehreren Etagen mag nicht jedermanns Sache sein. Doch das Lettische Kriegsmuseum gehört zu den größeren und interessanteren Museen der Stadt. Es schildert die kriegerischen Auseinandersetzungen auf dem Gebiet des heutigen Lettlands über einen Zeitraum vom 9. Jahrhundert bis in die Gegenwart.

㉘ [E3] **Lettisches Okkupationsmuseum.** Der Besuch dieses Museums ist ein absolutes Muss, um die komplizierte Geschichte Lettlands im 20. Jahrhundert zu verstehen. Es ist der deutschen und sowjetischen Besatzung in der Zeit zwischen 1940 und 1991 gewidmet. Regelmäßig werden auch ausländische Staatsgäste durch die für das lettische Selbstverständnis so bedeutende Ausstellung geführt.

❸ [E5] **Mentzendorffhaus.** Das Mentzendorffhaus ist wie im Jahr 1695 eingerichtet und vermittelt dem Besucher Details über das Leben eines wohlhabenden Deutschbalten im Riga jener Zeit. Besichtigt werden können ein alter Laden, die Küche, das Gästezimmer, die historischen Kellergewölbe und der romantische Dachboden.

Museen, die mit einer magentafarbenen Nummer (㉓) als Hauptsehenswürdigkeit ausgewiesen sind, werden im Kapitel „Riga entdecken" ausführlich beschrieben. Dort finden sich auch alle praktischen Informationen wie Adresse, Öffnungszeiten usw.

🏛5 [F3] **Museum „Juden in Lettland"** (Muzejs „Ebreji Latvijā"), Skolas iela 6, www.jewishmuseum.lv, geöffnet: So.–Do. 11–17 Uhr, Eintritt: frei (Spende erwünscht). In drei Räumen des früheren jüdischen Theaters ist die Ausstellung „Juden in Lettland" zu besichtigen, die Dokumente, Fotos, Bücher und Artefakte aus der jüdischen Kultur und Geschichte seit Beginn des 16. Jahrhunderts präsentiert. Ein Großteil des Museums ist dem Holocaust in Lettland gewidmet. Die Ausstellung scheint etwas in die Jahre gekommen, ist aber dennoch informativ.

🏛6 [D5] **Museum der Barrikaden von 1991 (1991. gada barikāžu muzejs),** Krāmu iela 3, www.barikades.lv/en/museum, geöffnet: Mo.–Fr. 10–17, Sa. 11–17 Uhr, Eintritt: frei (Spende

🔼 *Kunst aus dem Osten im Museum Rigaer Börse*

erwünscht). Das kleine, private Museum erzählt vom Januar 1991, als Tausende von Menschen in Riga Barrikaden rund um das Gebäude des Innenministeriums, die Altstadt und den Rigaer Fernsehturm **55** errichteten (s. Exkurs S. 35). Sie widersetzten sich so der sowjetischen Regierung und ihren Sondertruppen, die im Begriff waren, die strategischen Punkte der Stadt zu besetzen, um die Unabhängigkeit Lettlands zu verhindern. Geleitet wird das Museum von einem damaligen Teilnehmer und Augenzeugen. Da es in der Ausstellung wenig erklärende Texte gibt, empfiehlt es sich, nach einer (englischsprachigen) Führung zu fragen.

🏛**7** [E5] **Museum der Lettischen Volksfront (Tautas frontes muzejs)**, Vecpilsētas iela 13/15, www.lnvm.lv, geöffnet: Di.–Sa. 10–17 Uhr, Eintritt: frei. Lettlands Weg in die Unabhängigkeit wurde von einer breiten Bürgerbewegung getragen. Gut eine Viertelmillion Menschen sammelten sich in der sogenannten Volksfront, um für die nationale Selbstbestimmung einzutreten. Mit Erfolg: Am 21. August 1991 erlangte das kleine Land seine Unabhängigkeit wieder. Im ehemaligen Sitz der Lettischen Volksfront wird die Geschichte der Bürgerbewegung anschaulich erzählt (auch auf Englisch).

🏛**8** [E2] **Museum der Medizingeschichte (Paula Stradiņa Medicīnas vēstures muzejs)**, Antonijas iela 1, www.mvm. lv, geöffnet: Di., Mi., Fr., Sa. 11–17, Do. 11–19 Uhr, Eintritt 2,13 €, erm. 1,42 €. Auf vier Stockwerken bietet das Museum einen Rundgang durch die Medizingeschichte von den Anfängen der Menschheit bis ins Raumfahrtzeitalter. Nicht alle Exponate sind für schwache Nerven geeignet und am Ende ist der Besucher froh, nicht mehr den Behandlungsmethoden früherer Jahrhunderte ausgesetzt zu sein. Besonders gruselig ist der doppelköpfige Hund, ein in der Sowjetunion tatsächlich durchgeführtes Experiment, bei dem die Blutkreisläufe zweier Tiere zusammengeschlossen wurden.

🏛**9** [F4] **Nationales Geschichtsmuseum Lettlands (Latvijas Nacionālais vēstures muzejs)**, Brīvības bulvāris 32, www.lnvm. lv, geöffnet: Di.–So. 10–17 Uhr, Eintritt 3 €, erm. 1,50 €. Nach dem Brand des Rigaer Schlosses hat die Ausstellung zur Geschichte Lettlands und der lettischen Nation eine neue Heimat in der Neustadt gefunden. Sehenswert sind insbesondere die moderner gestalteten Räume zur jüngeren Geschichte im obersten Stockwerk.

🏛**10** [F7] **Rigaer Getto-Museum (Rīgas geto un Latvijas Holokausta muzejs)**, Maskavas iela 14 a (Eingang von der Krasta iela), www.rgm.lv, geöffnet: So.–Fr. 10–18 Uhr, Eintritt: frei (Spende erwünscht). In diesem Museum im Speicherviertel **41** wird die Geschichte des Rigaer Gettos erzählt, das sich von 1941 bis 1943 in der Moskauer Vorstadt befand. Zugleich wird vom jüdischen Leben in Lettland vor dem Krieg berichtet. Ein altes grünes Holzhaus gibt einen Eindruck davon, auf welch engem Raum

Riga Card

EXTRAINFO

Ermäßigungen, freien Eintritt und kostenlose Nutzung des ÖPNV verspricht die Riga-Karte (www.rigacard. lv), die es für 1, 2 oder 3 Tage zu kaufen gibt (25, 30 oder 35 €). Allerdings lohnt der Kauf nur, wenn tatsächlich die angebotene **Bustour** zu den Rigaer Sehenswürdigkeiten genutzt und zugleich genau jene Museen besucht werden, zu denen man mit der Riga-Karte freien oder ermäßigten Eintritt erhält. Flexibler und im Zweifel günstiger ist es, Stadtbesichtigungen und Eintrittskarten **einzeln zu kaufen**.

die Bewohner des Gettos hausen mussten. Führungen auf Englisch.

🏛11 [D5] **Rigaer Museum für Stadtgeschichte und Schifffahrt (Rīgas vēstures un kuģniecības muzejs),** Palasta iela 4, www.rigamuz.lv, geöffnet: Mai–Sept. tgl. 10–17 Uhr, Okt.–April Mi.–So. 11–17 Uhr, Eintritt: 4,27 €, erm. 1,42 €. Das Museum ist nicht nur das älteste staatliche Museum Lettlands, sondern eines der traditionsreichsten in Europa. Entsprechend riesig ist die Sammlung. Erzählt wird die Geschichte Rigas von ihren Anfängen über das Mittelalter und die Herrschaft von Polen, Schweden und Russen bis in die jüngste Geschichte des Unabhängigkeitskampfes. Ausgestellt werden archäologische Funde, Münzen, Silberschätze und viele andere Zeugnisse der Geschichte. Daneben gibt es eine Exposition zur Historie der Schifffahrt in Lettland vom 10. Jahrhundert bis heute. Zu fast allen Ausstellungssälen gibt es Handzettel auf Deutsch und Englisch.

•**12** [A3] **Žanis-Lipke-Gedenkstätte (Žaņa Lipkes Memoriāls),** Bus 13, 37, 47, 53 u. Trolleybus 5, 9, 12, 25 bis Haltestelle „Ķipsala", über die Ķipsalas iela bis zur Schwimmhalle, dann den Wegweisern folgen, www.lipke.lv, geöffnet: Di./Mi., Fr./Sa. 12–18, Do. 12–20 Uhr, Eintritt: frei. Als Lagerarbeiter schmuggelte Žanis Lipke über 50 Juden aus dem Rigaer Getto und versteckte sie zunächst in einem engen Bunker unter seinem Haus, später in einem kleinen Ort 80 Kilometer von Riga entfernt. Die moderne Gedenkstätte auf der Insel Ķipsala 50 erzählt von Lipkes Leben und seiner gewagten Rettungsaktion.

Kunst und Kultur

🏛**13** [D4] **Arsenal (Izstāžu zāle Arsenāls),** Torņa iela 1, www.lnmm.lv/en/arsenals, geöffnet: Di./Mi./Fr. 12–18, Do. 12–20, Sa./So. 12–17 Uhr, Eintritt: 3,50 €, erm.

2 €. Die Ausstellungshalle Arsenal ist eine Filiale des Lettischen Nationalen Kunstmuseums 35, die sich auf zeitgenössische Werke insbesondere von lettischen Künstlern spezialisiert hat.

📷**14** [F7] **kim? – Laikmetīgās mākslas centrs (Zentrum für Zeitgenössische Kunst),** Maskavas iela 12/1 (Hausnr. 12, Speicher 1), www.kim.lv, geöffnet: Mi. 12–20, Do.–So. 12–18 Uhr, Eintritt: 3 €, erm. 1,50 €, Mi. freier Eintritt. „Kas ir māksla – Was ist Kunst"? – für diese Frage steht die Abkürzung „kim?". In diesem Sinne beschäftigt sich das Zentrum mit neuen Kunstentwicklungen, theoretischen Fragen und sozialen Themen.

🏛**15** [D4] **Kunstmuseum Rigaer Börse (Mākslas muzejs Rīgas Birža),** Doma laukums 6, www.rigasbirza.lv, geöffnet: Di.–Do. u. Sa./So. 10–18, Fr. 10–20 Uhr, Eintritt: Dauerausstellung 3 €, erm. 1,50 €. In einem der schönsten Gebäude am Rigaer Domplatz 16 befindet sich das noch junge Kunstmuseum Rigaer Börse. Die Besichtigung lohnt sich allein wegen der prächtig restaurierten Räumlichkeiten, aber auch die Gemäldesammlung mit westeuropäischer Malerei des 16. bis 19. Jahrhunderts ist sehenswert. Beeindruckend ist neben der Silber- und Porzellansammlung auch die Ausstellung orientalischer Kunst.

❯ **Lettisches Architekturmuseum** im Haus Nr. 21 der **Drei Brüder** 19. Die Besichtigung des Museums lohnt sich in erster Linie, um das historische Gebäude von innen zu bewundern.

🏛**16** [E5] **Lettisches Fotografiemuseum (Latvijas Fotogrāfijas muzeja),** Mārstaļu iela 8, www.fotomuzejs.lv, geöffnet: Mi. u. Fr.–So. 11–17, Do. 12–19 Uhr, Eintritt: 2,13 €, erm. 0,85 €. Zu den interessanten Geschichten, die man in der Dauerausstellung des Fotografiemuseums erfährt, gehört die der in Riga seit 1937 hergestellten Minox-Kamera. 125 Gramm leicht und nicht viel größer als ein Feuerzeug konnte sie bequem in der Tasche verstaut werden – eine Sensation für die damalige Zeit. Der Produktion setzten die Nazis ein Ende, die die Einrichtung der Fabrik nach Deutschland abtransportierten. Neben der Dauerausstellung bietet das Fotografiemuseum auch sehenswerte Sonderausstellungen nationaler und internationaler Fotokünstler.

㉟ [E3] Lettisches Nationales Kunstmuseum. Das Nationale Kunstmuseum besitzt die größte Sammlung lettischer Kunst im Land. Daneben präsentiert es russische und baltische Werke vom 18. bis zur Mitte des 20. Jahrhunderts. Nach mehrjähriger Renovierung erstrahlt es nun in neuem Glanz.

⑬ [E5] Museum für dekorative Kunst und Design. Lettische Textilkunst, Keramik und Porzellan, dekorative Holzschnitzereien, Glaskunst und Designkollektionen lettischer Künstler werden in diesem Haus präsentiert. Im Erdgeschoss gibt es sehenswerte Sonderausstellungen; in der zweiten und dritten Etage des ältesten Steingebäudes in Riga, der ehemaligen St.-Georgs-Kirche, ist die Dauerausstellung des Hauses zu sehen.

🏛17 [E6] Rigaer Filmmuseum (Kino muzejs), Peitavas iela 10/12 (Eingang über die Alksnāja iela), www.kinomuzejs.lv, geöffnet: Di./Mi./Fr. 11–18, Do. 11–20, Sa. 11–17 Uhr, Eintritt: 2,90 €, erm. 1,40 €. Ein kleines, engagiertes Museum, das keine Dauerausstellung besitzt, sondern wechselnde Expositionen zeigt. Vorgestellt werden lettische Filmschaffende, berühmte Schauspieler und bekannte Filme des Landes. Die Ausstellungsinfos sind auf Lettisch und Englisch, freundliche Mitarbeiter geben gern weitere Auskünfte.

🏛18 [E2] Rigaer Jugendstilmuseum (Rīgas Jūgendstila muzejs), Alberta iela 12, www.jugendstils.riga.lv, geöffnet: Di.–So. 10–18 Uhr, Eintritt: Mai–Sept.

081rg Abb.: mb

6 €, erm. 4 €, Okt.–April 3,50 €, erm. 2,50 €, Familienticket ganzjährig 7,50 €. Am Ende der bedeutendsten Jugendstilstraße Rigas, der Alberta iela **㊳**, ist in einem Haus aus dem Jahr 1903 eine rekonstruierte Jugendstilwohnung zu besichtigen. Allein der dekorative Treppenaufgang ist schon einen Blick ins Haus wert. In der Wohnung stehen Jugendstilmöbel, sind die Wände entsprechend gestaltet und gibt es eine Küchen- und Badeinrichtung aus jener Zeit zu bewundern. Auf dem lohnenden

🔺 *Der Treppenaufgang zum Rigaer Jugendstilmuseum*

Rundgang durch die Wohnräume erhält man in jedem Zimmer informative Handzettel u. a. auf Deutsch, die über das Leben und die Gestaltungsprinzipien um die Wende vom 19. zum 20. Jahrhundert berichten.

19 [D5] **RMT – Rīgas Mākslas Telpa,** Kungu iela 3, www.makslastelpa.lv, geöffnet: Di.–So. 11–18 Uhr, Eintritt: 5 €, erm. 3 €. Der „Rigaer Kunstraum" ist eine moderne, multifunktionale Kunsthalle, in der im Jahr mehre große Ausstellungen stattfinden. Um den Mangel an nicht kommerziellen Kunstgalerien in Riga auszugleichen, werden in einem Nebensaal die Werke junge Künstler aus dem Baltikum und den osteuropäischen Ländern ausgestellt.

51 [B6] **Schwimmende Kunstgalerien Betanovuss und Noass.** Auf den beiden Schiffen Betanovuss und Noass hat sich ein nicht kommerzielles, zeitgenössisches Kulturzentrum etabliert, das auf und unter Deck nicht nur Kunstausstellungen zeigt, sondern auch Platz für Performances und Konzerte bietet. Ein ambitioniertes Projekt alternativer Kunst.

Nicht nur für Kinder

60 **Ethnografisches Freilichtmuseum.** Idyllisch an einem See und inmitten eines Kiefernwaldes gelegen, geben über 100 Holzhäuser aus allen vier historischen Regionen Lettlands einen Einblick in die Geschichte des Landes. Empfehlenswert nicht nur als Museum, sondern auch für einen entspannten Tag mit der Familie fernab jeglicher Hektik der Stadt.

20 [H1] **Laima Schokoladenmuseum (Laimas šokolādes muzejs),** Miera iela 22, Tram 11 bis Haltestelle „A/S Laima/ Arēna Rīga", www.laima.lv, geöffnet: Di.–So. 10–19 (Einlass bis 18 Uhr), Eintritt: 7 €, erm. 5 €. Die Ausstellung des bekannten lettischen Schokoladenherstellers umfasst Wissenswertes zur Kakaobohne und Schokoladenherstellung ebenso wie die Produktionsgeschichte in Riga. Im Eintrittspreis ist ein kleiner Schokoladentrunk inbegriffen, außerdem wartet das Museum mit verschiedenen interaktiven Angeboten auf. Im Anschluss an den Besuch besteht die Möglichkeit, sich im benachbarten Fabrikladen nach Herzenslust mit Pralinen einzudecken.

21 [B7] **Lettisches Eisenbahnmuseum (Latvijas dzelzceļa vēstures muzejs),** Uzvaras bulvāris 2 a, Bus Nr. 3, 8, 21, 25 u. Tram Nr. 2, 4, 5, 10 bis Haltestelle „Valguma iela", www.railwaymuseum.lv, geöffnet: Di./Mi./Fr./Sa. 10–17, Do. 10–20 Uhr, Eintritt: 2,50 €, erm. 1 €. Das Eisenbahnmuseum, unweit der Altstadt am anderen Ufer der Düna gelegen, ist ein Muss für Eisenbahnfreunde und auch für Familien mit Kindern interessant. Leider werden viele Informationen in der Dauerausstellung nur auf Lettisch präsentiert, dafür entschädigt aber die Lokomotivenausstellung auf dem Freigelände.

22 [E5] **Sonnenmuseum (Saules muzejs),** Vaļņu iela 30, www.saules muzejs.lv, geöffnet: Mo.–Fr. 9–18, Sa./ So. 10–19 Uhr, Eintritt: 4 €, erm. 3,50 €, Kinder unter sechs Jahren frei. Das kleine Sonnenmuseum in der Altstadt wird in privater Initiative betrieben und gehört vielleicht gerade deshalb zu den sehenswerten Häusern. Die Informationen über unser Sonnensystem sind leider nur auf Lettisch – eine Übersetzung ins Englische ist aber geplant. Außerdem stehen freundliche Mitarbeiter bereit, um Fragen zu beantworten. In jedem Fall ohne Lettischkenntnisse verständlich ist die Sammlung von Sonnenfiguren aus aller Welt; zudem erfährt der Besucher etwas über die Sonnensymbolik in der lettischen Volkskunst. Zum Abschluss darf jeder Besucher seine eigene Sonne basteln.

Riga für Genießer

In der Altstadt und der Neustadt drängen sich unzählige Restaurants. Wer schnell ein günstiges Essen sucht, wird genauso fündig wie Feinschmecker, die sich von höchster Kochkunst verwöhnen lassen möchten. Geboten werden den Gästen traditionelle lettische Gerichte, Lokale mit mittelalterlichem Flair, Variationen der slawischen Küche, internationale Speisen aus Italien, Frankreich oder Japan und raffinierte Fusionsküche.

Die lettische Küche

Die lettische Küche ist **deftig und herzhaft.** Fisch und Fleisch, geschmortes Sauerkraut und Sauerrahm, warme und kalte Suppen,

süße Mehl- und Quarkspeisen, dunkles Roggenbrot und Kümmel sind aus ihr nicht wegzudenken.

Als **Nationalgericht Lettlands** gilt *putra,* gekochte Gerstengrütze, die man auch in einigen Restaurants mit lettischer Küche bekommt. Beliebt sind auch **kalte Rote-Beete-Suppe** *(aukstā biešu zupa),* die besonders im Sommer ein unschlagbarer kulinarischer Genuss ist, **Hefeteigtaschen mit Speck und Zwiebeln** gefüllt *(piragi)* und **Kümmelkäse** *(ķimeņu siers).* Eine weitere Spezialität sind **Grauerbsen mit Speck** *(pelēkie zirņi),* meist in einer Tonschale serviert; dazu gibt es ein Glas frische **Sauermilch** *(rūgušpiens)* oder **Kefir** *(kefirs).*

Zu den deftigen Gerichten der lettischen Küche trinkt man außerdem gern würziges und zum Teil recht starkes **Bier** *(alus)* oder **Kwass** *(kvass)* – die alkoholfreie Variante aus gegorenem Roggenmehl und Malz. Als Nachtisch sind süße Mehl- und Quarkspeisen, Eis und Torten sehr

⌃ *Warten auf den großen Andrang in einem Rigaer Café*

beliebt. Oft ist es **Honig**, der den Leckereien ihre Süße verleiht.

Jahrhundertelang prägten auch **deutsche, polnische und russische Einflüsse** die lettische Speisekarte. Von den Deutschen soll die lettische Vorliebe für geräucherten Fisch kommen, Polens Küche machte Wildgerichte und Sauerkraut in Lettland populär. Wie in den Nachbarländern sind auch in Lettland **Pfannkuchen** (pankūkas) beliebt. Die größten Spuren hinterließ jedoch die russische Kochkunst. Mit Hackfleisch **gefüllte Teigtaschen** (pelmeni), **Kartoffelpuffer** (kartupeļu pankūkas) mit saurer Sahne (skābais krējums) und die berühmte Rote-Beete-Suppe **Borschtsch** (borščs) sind inzwischen fester Bestandteil der lettischen Küche, ebenso das zentralasiatische **Reisgericht** plov.

Im Restaurant

Generell ist man in Rigas Restaurants auf Besuch aus dem Ausland eingestellt: **Speisekarten** gibt es fast immer auch **auf Englisch** und ab und zu **auf Deutsch**. Die Bedienung spricht oft mehr als eine Fremdsprache.

Wem es schmeckt und wer nett bedient wurde, der sollte dem Kellner ruhig ein **Trinkgeld** geben. Manchmal werden bereits **zehn Prozent der Gesamtsumme für den Service** auf die Rechnung aufgeschlagen.

Restaurants

Selbstbedienung

23 [F4] **Lido Vērmanītis** €, Elizabetes iela 65, www.lido.lv, Tel. 67286289, geöffnet: Mo.–Do. 9–22, Fr.–Sa. 9–23, So. 10–22 Uhr. Die Kette Lido, die in Riga mehrere unterschiedlich gestaltete Selbstbedienungsrestaurants unterhält, setzt auf rustikales Ambiente und bodenständiges lettisches Essen. Das Konzept ist so erfolgreich, dass Lido inzwischen bereits ins benachbarte Ausland expandiert.

24 [D5] **Šefpavārs Vilhelms Pankūkas** €, Šķūņu iela 6, geöffnet: Mo.–Fr. 9–21, Sa./So. 10–21 Uhr. Die Pfannkuchen von Chefkoch Vilhelms sind eine leckere und günstige Möglichkeit, im Herzen der Altstadt den kleinen Hunger zu stillen. Zum Frühstück oder später am Tag gibt es verschiedene Arten von Pfannkuchen mit saurer Sahne, Marmelade, Frischkäse oder Hackfleisch.

25 [E5] **XL Pelmeni** €, Kaļķu iela 7, www.xlpelmeni.lv, Tel. 7222728, geöffnet: Mo.–Fr. 9–4, Sa./So. 10–4 Uhr. Pelmeni sind ein Highlight der russisch-lettischen Küche. An der Selbstbedienungsbar füllt man sich die mit Fleisch oder Spinat gefüllten Teigtaschen in eine Schale, garniert sie mit Tomatensauce oder saurer Sahne und zahlt am Ende nach Gewicht einen recht günstigen Preis.

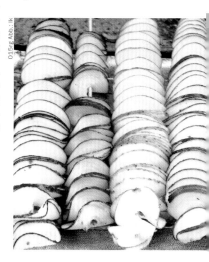

⌂ *Kartoffelchips nach lettischer Art*

Preiskategorien

€   Hauptgericht bis 7 €

€€   Hauptgericht 7 bis 15 €

€€€   Hauptgericht über 15 €

Lettische Spezialitäten

🕪**26** [G5] **Milda** €€, Dzirnavu iela 113a–
103, Tel. 25713287, geöffnet: Di.–So
10–22 Uhr. Versteckt in einem Hinterhof
und etwas außerhalb der Altstadt befindet sich das kleine, liebevoll geführte
Restaurant Milda. Serviert werden lettische und litauische Spezialitäten zu
moderaten Preisen. Die freundliche
Bedienung berät gerne bei der Auswahl
oft unbekannter Speisen. Reservierung
empfohlen!

🕪**27** [G2] **Pie Kristapa Kunga** €€, Baznīcas
iela 27/29, www.piekristapa.lv, Tel.
29512052, geöffnet: tgl. 11–23 Uhr.
Mittelalterlich eingerichtet und einem
gewissen Graf Kristapa gewidmet, der
nach der Hauslegende einst in den alten
Gemäuern lebte. Ihm sollen auch die
Rezepte der lettischen und russischen
Küche des Hauses zu verdanken sein. Es
gibt Fisch, Fleisch und trotz des rustika-
len Anscheins auch einige vegetarische
Gerichte.

🕪**28** [D4] **Taverna** €€, Torņa iela 4–2 c,
Tel. 67321260, www.latvianfood.lv,
geöffnet: tgl. ab 13 Uhr. In dieser rusti-
kal eingerichteten Bauernstube gibt es
typisch lettische Hausmannskost. Wer
eine „Kulinarische Reise durch Lettland"
(Kulinārijas ceļojums pa Latviju) bestellt,
bekommt nicht nur Grauerbsen, lettischen Käse, Brot und Bier aus den vier
Regionen Lettlands, sondern zusätzlich
eine charmante Einführung in die Lan-
deskunde vom Kellner.

🕪**29** [cf] **Valmiermuiža** €€, A. Briāna
ielā 9 a, www.valmiermuiza.lv, Tel.
29135438, geöffnet: tgl. 10–22 Uhr.
Nahe des kreativen Viertels rund um

die Miera iela ⓹⓺ betreibt die beliebte
Brauerei Valmiermuiža ein kleines
Restaurant. Zu den Bierspezialitäten
gibt es eine Auswahl von original lettischen Speisen. An kalten Wintertagen
ist besonders das heiße Bier aus dem
Steinkrug zu empfehlen!

🕪**30** [D4] **Vecmeita ar kaķi** €€, Mazā Pils
iela 1, Tel. 67325077, geöffnet: tgl.
11–23 Uhr. Im Restaurant „Jungfer
mit Katze" sitzt man entweder in einem
etwas altmodisch eingerichteten Wohnzimmer im Keller oder an frischer Luft
auf einem ruhigen Platz in der Nähe des
Schlosses ㉑. Aus der lettischen Küche
kann man die typischen Grauerbsen mit
Speck, marinierten Hering oder eine lettische Käseplatte wählen.

Internationale Küche

🕪**31** [C2] **Eksports** €€, Eksporta iela 1 a,
Tram 5, 9 bis Haltestelle „Ausekļa iela",
www.barseksports.lv, Tel. 26694045,
geöffnet: Mo.–Do. 11–24, Fr. 11–2,
Sa. 12–2, So. 12–24 Uhr. Eine kleine,
unscheinbare Schrebergartentür führt
vom Land aus zum Restaurant des
Jachthafens. Mit einem herrlichen Blick
über das Wasser kann man dort gegrilltes Hühnchen, Steak und Fisch essen
oder einfach nur bei einem Cocktail
entspannen.

🕪**32** [G2] **Fazenda** €, Baznīcas iela 14,
www.fazenda.lv, Tel. 67240809, geöffnet: Mo.–Fr. 9–22, Sa. 10–22, So.
11–22 Uhr. Das Fazenda ist ein ganz
besonderer Ort. Eingerichtet wie eine
schicke, geräumige Wohnung gibt es
dort Frühstück, Salate, einfache Mahlzei-
ten und Kuchen. Im Hof gibt es weitere
Sitzmöglichkeiten, einen kleinen Bauernmarkt und eine hauseigene Bäckerei
mit leckeren Kuchen, Torten und Gebäck.
WLAN-Hotspot.

🕪**33** [G3] **Galerija Istaba** €€, Krišjāņa
Barona iela 31 a, Tel. 67281141,
geöffnet: Mo.–Sa. 12–23 Uhr. Im Ober-

Smoker's Guide

Zigaretten sind in Lettland günstig, doch auch hier gilt: **Rauchen** ist in öffentlichen Einrichtungen und fast allen Restaurants, Cafés oder Bars **verboten**. Nur wenn es einen vollständig abgetrennten **Raucher-bereich mit Belüftung** gibt, ist auch das Rauchen gestattet – und das ist selten. Ansonsten bleibt das gemeinschaftliche Rauchen **auf dem Bürgersteig**, allerdings ist dann dort das Alkoholtrinken untersagt.

Eine der wenigen Bars mit abgetrenntem Raucherbereich und herrlichem Ausblick ist die **Skyline Bar** (s. S. 81).

Lecker vegetarisch

Auch wenn die lettische Küche recht fleischlastig ist, gibt es in aller Regel die Möglichkeit, ein vegetarisches Essen zu bestellen. Eine große Auswahl an vegetari-schen Gerichten ist im **Fazenda** (s. S. 76) zu haben. In der **Galerija Istaba** (s. S. 76) wird für das mehrgängige vegetarische Menü zwar „nur" das Fleisch weggelas-sen, was allerdings den Genuss in keinster Weise schmälert. Weitere Tipps:

❶34 [H3] **Rāma** €€, Krišjāṇa Barona iela 56, geöffnet: Mo.–Fr. 10–20, Sa./So. 11–19.30 Uhr. Ein rein vegetarisches Selbstbedienungsrestaurant von der Hare-Krishna-Bewegung mit guter Küche in Rigas Neustadt.

❶35 [F2] **Raw Garden** €€, Skolas iela 12, www.rawgarden.lv, geöffnet: Mo.–Fr. 8.30–21, Sa. 12–21, So. 11–19 Uhr. Hier kommen Veganer und Rohkostfans auf ihre Kosten.

Dinner for one

Wer allein unterwegs ist und schnell, gut und günstig essen möchte, bekommt im **Lido Vērmanītis** (s. S. 75) oder in einer anderen Lido-Filiale einen Querschnitt durch die lettische Küche geboten.

Für den späten Hunger

Dieses Burger-Restaurant in der Neustadt stellt jede Fast-Food-Kette in den Schatten und ist für Fleischesser wie Vegetarier glei-chermaßen geeignet:

❶36 [F3] **B Burgers**, Brīvības iela 40–11, geöffnet: Mo.–Do. 11–24, Fr. 11–4, Sa. 11–2, So. 11–22 Uhr

Essen mit Ausblick

Riga ist reich an Bars mit herrlichem Pan-oramablick über die Stadt. Hierzu zählen die **Skyline Bar** (s. S. 81) und **Terrace Riga**. Unter Touristen weniger bekannt ist die Neo-Bar im Turm des Rigaer Bahnhofs, die auch eine umfangreiche internationale Speisekarte besitzt:

❶37 [F5] **Neo** €€, Stacijas laukums 2 (Eingang zum Aufzug in die 8. Etage des Turms links neben Eingang „B"), geöffnet: tgl. 11–23 Uhr

❯ Terrace Riga (in der Galleria Riga, s. S. 85), geöffnet: tgl. 11–1 Uhr

017rg Abb.: lk

❯ *Cocktails mit Riga-Panorama in der Neo-Bar im Turm des Bahnhofs*

EXTRATIPP

Mittagsmenüs

Zur Mittagszeit bieten viele Restaurants werktags ein recht günstiges Mittagsmenü (*kompleksās pusdienas* oder *business lunch*) an. Für 3–7 € bekommt man eine **Suppe**, ein **Hauptgericht** und **etwas zu trinken**. In manchen Restaurants kann man zwischen verschiedenen Gerichten wählen, oft gibt es aber auch nur ein **Tagesgericht**. So kann man selbst in eigentlich teuren Restaurants gut und preiswert zu Mittag speisen.

geschoss einer Galerie, die übersetzt den Namen „Zimmer" trägt, ist ein schickes Café untergebracht, in dem man abends auch hervorragend essen kann. Eine Speisekarte gibt es nicht – der Koch zaubert aus frischen Zutaten jeden Abend spontan ein neues Gericht, das man mit Fisch, verschiedenen Fleischsorten oder als vegetarische Variante bestellen kann. WLAN-Hotspot.

38 [E5] **Konvents** €€, Kalēju iela 9/11, www.konvents.lv, Tel. 67087580, geöffnet: Mo.–Fr. 7–10 (Frühstück) u. 12–23 Uhr (à la carte), Sa./So. 8–11 (Frühstück) u. 12–23 Uhr (à la carte). Ein elegant eingerichtetes Jugendstilrestaurant im Konventhof ⓫. Man hat die Wahl: Das reichhaltige Frühstücksbüfett, ein Businesslunch oder Fisch und Fleischgerichte à la carte kann man entweder in einer Jugendstilküche, im Ess- oder Wohnzimmer, im Kabinett oder in der Bibliothek genießen.

39 [D4] **Ķiploku Krogs** €€, Jēkaba iela 3/5 (Eingang über die Mazā Pils iela), www.kiplokukrogs.lv, Tel. 67211451, geöffnet: tgl. 12–23 Uhr. Wer keinen Knoblauch mag, sollte einen großen Bogen um diese Gaststätte machen. Denn die „Knoblauchkneipe" würzt ihre Suppen, Fleisch- und Pastagerichte allesamt deftig mit dem berüchtigten Zwiebelgewächs.

40 [F3] **Lechaim** €, Skolas iela 6 (Eingang über die Dzirnavu iela), Tel. 67280235, geöffnet: So.–Do. 10–21, Fr. 10 Uhr bis Sonnenuntergang. Das Lechaim, das von der jüdischen Gemeinde Rigas betrieben wird, kredenzt hervorragende koschere Küche. Die Speisekarte vereint traditionelle jüdisch-lettische Gerichte mit Spezialitäten des Nahen Ostens wie Hummus und Falafel.

41 [D4] **Olive Oil** €€, Pils laukums 4–3, www.olive-oil.lv, Tel. 29533523, geöffnet: tgl. 11–24 Uhr. Pizza, Pasta und Risottos, Fisch und Fleisch, dazu ausgesuchte Weine: Wer auch beim Urlaub im Norden Europas nicht auf mediterrane Kochkunst verzichten möchte, für den ist das gegenüber dem Schloss ㉑ am Rande der Altstadt gelegene Olive Oil eine gute Wahl.

42 [D5] **Restaurant 1221** €€€, Jauniela 16, www.1221.lv, Tel. 67220171, geöffnet: tgl. 12–23 Uhr. Ein elegantes Familienrestaurant mit lettischer und internationaler Küche, Fisch- und Fleischgerichten, einer umfangreichen Weinkarte, vielen Likören und Cocktails. Das Lokal befindet sich in einem 300 Jahre alten Haus unweit des Rigaer Doms ⓱.

43 [D5] **Rozengrāls** €€€, Rozena iela 1, www.rozengrals.lv, Tel. 25769877, geöffnet: tgl. 12–24 Uhr. Im Kellergewölbe des Rozengrāls soll schon 1293 Wein gelagert und kräftig gefeiert worden sein. Entsprechend mittelalterlich ist das Ambiente in den fünf Sälen des vornehmen Restaurants: Elektrisches Licht gibt es nicht, stattdessen wird das Gewölbe mit unzähligen Kerzen beleuchtet. Umfangreiche Speisekarte mit Suppen, traditionsreichen Fleisch- und Fischrichten und lettischem Bier.

▷ *Am Ufer der Daugava: Restaurant auf der Insel Ķīpsala* ㊿

Cafés

○**44** [F5] **Apsara Tea House,** Krišjāņa Barona iela 2 a, www.apsara.lv, geöffnet: Mo.–Fr. 10–22, Sa./So. 11–22 Uhr, WLAN. Wer am Stadtkanal **21** relaxen möchte, ist im Rundbau des Teehauses Apsara genau richtig. Man sitzt entspannt auf Kissen auf dem Boden und genießt die große Auswahl an Tee, Kaffee oder Milchshakes. Besonders beliebt ist das Teehaus bei jungen Verliebten.

○**45** [G2] **Bezē konditoreja,** Brīvības iela 76, geöffnet: Mo.–Fr 8–21, Sa./So. 10–19 Uhr. Zugegeben, die kleine Konditorei liegt etwas abgelegen in der Neustadt. Gut 20 Minuten zu Fuß braucht man aus der Altstadt dorthin – aber der Weg lohnt! In gemütlicher Atmosphäre erhält man faszinierend schöne und sehr leckere Süßwaren – von Baiser bis hin zu künstlerisch gestalteten Torten. Kaffee, Kakao und Tee gibt es natürlich auch.

○**46** [E5] **Kuuka Kafe,** Grēcinieku iela 5, geöffnet: Mo. 9–20, Di.–Do. 8–21, Fr. 8–22, Sa. 11–22, So. 11–18 Uhr, WLAN. Gemütliches Altstadtcafé mit selbst gebackenem Kuchen. Am Wochenende wird für rund sieben Euro bis weit in den Nachmittag hinein ein Brunchbüfett angeboten. In den Regalen stehen Bücher und Spiele; Kinder sind willkommen.

○**47** [E5] **Mārtiņa Beķereja,** Vaļņu iela 28, geöffnet: Mo.–Fr. 7.30–21, Sa./So. 8–21 Uhr, WLAN. Recht beliebt bei den Einheimischen sind die Filialen der Bäckerei Mārtiņ. Dort gibt es eine große Auswahl an günstigen Kuchen, Torten und Gebäck.

○**48** [D4] **V. Kuze,** Jēkaba iela 20/22, www.kuze.lv, geöffnet: tgl. 10–21 Uhr, WLAN. Im Kaffeehaus Kuze gibt es Pralinen, Kuchen und Kaffee. Heiße Schokolade ist hier weniger Kakaogetränk als flüssige Schokolade.

Gastro- und Nightlife-Areale

Bläulich hervorgehobene Bereiche in den Karten kennzeichnen Gebiete mit einem dichten Angebot an Restaurants, Bars, Klubs, Discos etc.

085rg Abb.: fo © Fyle

Riga am Abend

Rigas Nachtleben ist quirlig! An warmen Sommerabenden sind fast noch mehr Menschen in den alten Gassen der Stadt unterwegs als tagsüber. Cafés, Kneipen und Bars reihen sich in der Altstadt aneinander. Nur wenige Fußminuten entfernt befinden sich in der Neustadt auch einige der angesagtesten Klubs. Zunehmender Beliebtheit bei jungen Rigaern erfreut sich zudem die Gegend um die Hipsterstraße Miera iela ☷.

Nachtleben

Riga besticht durch seine **lebhafte Klub- und Kneipenszene.** Es empfiehlt sich aber, nicht allzu lässig gekleidet ins Nachtleben starten, denn dann findet man unter Umständen nicht überall Einlass. Elegante Alltagskleidung ist im modebewussten Riga ein Muss und Turnschuhe sind tabu. Nicht in allen Klubs sind Touristen erwünscht; in manchen Lokalitäten wollen die Einheimischen lieber unter sich bleiben. Da hilft nur, weiterziehen oder sehr freundlich mit dem Türsteher zu sprechen und *lūdzu* (bitte) zu sagen.

Kneipen, Bars und Biergärten

☷**49** [cf] **Alus darbnīca Labietis,** Aristida Briana 9a–2, geöffnet: Mo. 18–22, Di. 15–23, Mi. 15–3, Do. 15–22, Fr. 15–3, Sa. 13–3, So. 13–1 Uhr. Die 2013 von Bierliebhabern gegründete Mikrobrauerei Labietis bietet ein umfangreiches Sortiment an Hopfengetränken und ein fachkundiges Personal, das gerne bei der Auswahl berät.

☷**50** [E3] **Café Leningrad,** Krišjāņa Valdemāra iela 4, geöffnet: Mo.-Do. 12–3, Fr./Sa. 12–7, So. 12–3 Uhr, WLAN. Eingerichtet im sowjetischen Stil mit einem großen Leninbild an der Wand, ist das Café Leningrad ein Partyort für junge Leute, ein Treffpunkt für bunte Vögel und eine Bar für Nostalgiker der Sowjetzeit – betrieben von jungen Letten. Aufgrund der demokratischen Essenspreise schauen aber auch die Arbeiter der umliegenden Baustellen in der Mittagspause gerne mal auf ein warmes Süppchen vorbei.

☷**51** [H4] **Chomsky,** Lāčplēša iela 68, geöffnet: So.-Do. 16–24, Fr./Sa. 16–3 Uhr. Die Rigaer Philosophenkneipe

◹ *Riga strahlt abends einen ganz besonderen Zauber aus*

beschränkt sich auf das Wesentliche: gemütliche Sofas und alkoholische Getränke. Wer ein Butterbrot verzehren will, muss es selbst mitbringen, wer abseits vom Trubel ein gutes Buch lesen möchte, ist hier richtig.

◉52 [D5] **Cuba Café**, Jauniela 15, www. cubacafe.lv, geöffnet: So./Mo. 15–2, Di. 15–3, Mi./Do. 15–4, Fr./Sa. 15–6 Uhr, WLAN. Das Café Cuba ist eine bei Einheimischen und Touristen gleichsam beliebte Cocktailbar am Domplatz ⑯. Im Sommer mit Terrasse. Bei kaltem Wetter genießt man das Flair in den mit kubanischen Motiven dekorierten Räumen.

◉53 [D5] **Ezītis miglā**, Palasta iela 9, www. ezitis.lv, geöffnet: tgl. ab 11 Uhr, WLAN. „Der Igel im Nebel" ist einer der besten sowjetischen Zeichentrickfilme und Namensgeber dieser Studentenkneipe in Rigas Altstadt. Günstiges Bier, eine unverkrampfte Stimmung und viele Studenten machen die besondere Atmosphäre der Kneipe aus. Ein zweites Lokal befindet sich gegenüber der I love you Bar (siehe unten).

◉54 [D4] **I love you Bar**, Aldaru iela 9, www.iloveyou.lv, geöffnet: Mo.–Mi. 15–24, Do.–Sa. 15–1, So. 14–22 Uhr. Sobald die Rigaer aus dem Sommerurlaub zurück in der Stadt sind, wird es in der „I love you Bar" lebhaft. Dann treffen sich dort die jungen Kreativen der Stadt, DJs legen ihre Lieblingsplatten auf und im Hinterzimmer spielt man mit Freunden Brettspiele. Eine liebenswerte Bar. WLAN-Hotspot.

◉55 [D4] **Krogs Aptieka**, Mazā Miesnieku iela 1, geöffnet: So.–Mi. 16–1, Do. 16–3, Fr./Sa. 16–5 Uhr. Die im Stil einer Apotheke eingerichtete Kneipe verfügt über ein Pendant in der amerikanischen Hauptstadt Washington, wo ihr Besitzer zuvor lebte. Die Inspiration für den Namen kam von seinem Großvater, der als Apotheker arbeitete.

◉56 [C4] **Labais krasts**, Anglikāņu iela 5, geöffnet: Mo.–Do. 9–24, Fr. 9–2, Sa. 11–2, So. 11–23 Uhr. Etwas versteckt neben dem Schloss ㉑ findet sich einer der schönsten Biergärten Rigas mit Blick auf die Düna. Im Schatten grüner Bäume gibt es auch Cocktails und Gegrilltes.

◉57 [cf] **Nemiers**, Aristida Briāna iela 9–2, So.–Di. 17–1, Mi. 17–6, Do. 17–4, Fr. 17–6 Uhr. Die in kühlem Industriedesign gehaltene Bar ist ein beliebter Treffpunkt für unter 30-jährige Rigaer.

◉58 [F3] **Skyline Bar**, Elizabetes iela 55 (26. Etage des Radisson Blu Hotels), www.skylinebar.lv, geöffnet: Mo.–Mi. 11.30–1, Do., So. 11.30–2, Fr./Sa. 11.30–3 Uhr, Eintritt: Do., So. 21–24 Uhr 3 €, Fr./Sa. 20–2 Uhr 5 €. Im gläsernen Fahrstuhl geht es hinauf in die Skyline Bar, von wo sich ein imposanter Blick über Riga eröffnet. Beachtliche Cocktail-Auswahl; die Plätze am Fenster sind rar, weshalb man manchmal auf einen guten Platz etwas warten muss. WLAN-Hotspot.

◉59 [H1] **Taka**, Miera iela 10, geöffnet: Mo.–Do. 14–24, Fr. 14–3, Sa. 12–2 Uhr, WLAN. Die freundliche, bunte Kneipe mit großer Auswahl an lokalen und internationalen Bieren zieht einheimische Hipster genauso an wie Aus-

EXTRAINFO

Vorsicht: Betrug!

Rigas Nachtleben brummt. Doch Vorsicht! In einigen Klubs und Bars wurden in der Vergangenheit Touristen mit **Wucherpreisen** abgezockt und es gab Fälle von **Kreditkartenbetrug**. Deshalb sollte man sich vorher nach den Preisen erkundigen und fragwürdige Etablissements meiden. Eine **schwarze Liste** gibt es im Touristenmagazin „Riga in your pocket" (s. S. 118) oder in den Touristeninformationen der Stadt (s. S. 117).

EXTRAINFO

Strenge Alkoholverbote

Von 22 bis 8 Uhr herrscht in Lettland ein striktes **Verkaufsverbot von Alkohol** – zumindest an Kiosken und in Supermärkten. In Restaurants und Kneipen darf Bier und Wodka die ganze Nacht hindurch ausgeschenkt werden. Außerdem ist es nicht erlaubt, sich stark betrunken oder mit einer geöffneten Flasche Bier, geschweige denn mit Schnaps, durch die Straßen und Parkanlagen Rigas zu bewegen. Die eine oder andere Schnapsleiche bekommt man außerhalb der Innenstadt dennoch zu Gesicht.

tauschstudenten. Wer allein reist, kommt hier am Tresen leicht mit seinem Nachbarn ins Gespräch.

Livemusik

🎵**60** [D6] **Folkklubs Ala Pagrabs,** Peldu iela 19, www.folkklubs.lv, geöffnet: Mo./ Di. 12–1, Mi. 12–3, Do. 12–4, Fr. 12–6, Sa. 14–5, So. 14–1 Uhr. Gute Laune, lettisches Bier und Essen und vor allem fast jeden Abend lettische Livemusik gibt es in den geräumigen Kellergewölben des Ala. Wer eintauchen möchte in die rustikale Volkskultur Lettlands, ist im Ala genau richtig.

🎵**61** [E4] **Shot Cafe,** Torņa iela 4, geöffnet: Mo.–Mi. 12–3, Do.–Sa. 12–6, So. 12–2 Uhr. In einem Keller in den Jakobskasernen auf der Torņa iela ㉒ werden alle nur denkbaren *shots* zu trinken angeboten – daher auch der Name. Konzerte beginnen an den Wochenenden in der Regel etwa um 23 Uhr.

Klubs und Discos

🎫**62** [H1] **Aristīds,** Aristida Briāna iela 7. Unterhalb einer alten Likörfabrik hat sich einer der beliebtesten Underground

Clubs Rigas angesiedelt, in dem auch Konzerte stattfinden.

🎫**63** [E6] **Četri balti krekli,** Vecpilsētas iela 12, www.krekli.lv. Nur wenige Touristen finden den Weg in die Kellergewölbe des Krekli, wo meist lettische Musik gespielt wird und heimische Bands auftreten. Ein perfekter Ort also, um die lokale Musikszene kennenzulernen.

🎫**64** [E5] **Depo,** Vaļņu iela 32, www.klubsdepo.lv. Hippe Teens und Mitzwanziger tanzen im Keller des „Klubs für alternative Musik" zu den Klängen bekannter europäischer Gruppen und junger, noch unbekannter Bands aus Lettland. Gespielt wird eine bunte Mischung von Jazz, Elektro und Reggae bis hin zu Punkrock, Heavy Metal und Experimentalmusik.

🎫**65** [cf] **OneOne,** Šarlotes iela 18A, www.oneoneriga.lv. Beliebter kleiner Klub in der angesagten Gegend rund um die Miera iela **56**. Gespielt wird gute Musik unterschiedlicher Genres mit einem Schwerpunkt auf elektronischer Musik.

🎫**66** [E4] **Nabaklab,** Zigfrīda Annas Meierovica bulvāris 12, www.nabaklab.lv. Einer der beliebtesten Plätze für all jene, die sich zur Boheme der Stadt zählen und nichts von der Glamourwelt anderer Klubs in Riga halten. Techno oder Pop wird man hier sicher nicht hören. Livebands und DJs sorgen für Stimmung, man kann aber auch einfach gemütlich in einem Retro-Sowjetzimmer ein Bier trinken oder im großen Hof rauchen.

🎫**67** [cf] **Piens,** Aristida Briāna iela 9, www.klubspiens.lv. Etwas außerhalb der Innenstadt befindet sich unweit der Miera iela **56** in einer alten Brauerei einer der angesagtesten Klubs der Stadt. Künstler, Musiker und Medienleute fühlen sich in dieser im Stil einer 1960er-Jahre-Wohnung gestalteten Location wie zu Hause. Am Wochenende wird es manchmal so voll, dass nur noch Stammgäste hereingelassen werden.

Theater und Konzerte

Ohne Lettisch- oder zumindest Russischkenntnisse lohnt ein Theaterbesuch sicher nur für eingefleischte Fans. Es gibt allerdings eine Alternative zum Sprechtheater: In der **Oper** werden Übertitel eingeblendet, in Kirchen und Konzertsälen finden **klassische Konzerte** statt und das **Musiktheater** sprengt Sprachbarrieren. Aktuelle Informationen gibt es in den einzelnen Kultureinrichtungen oder in den Touristeninformationen (s. S. 117).

Veranstaltungsorte

⊕68 [D4] **Große Gilde (Lielā ģilde)**, Amatu iela 6, www.lnso.lv. Heimstätte des Lettischen Nationalen Symphonieorchesters (Latvijas Nacionālais Simfoniskais Orķestris), das auf hohem Niveau osteuropäische Traditionen der klassischen Musik mit westeuropäischen Standards kombiniert. Mit dieser Ausrichtung ist das Symphonieorchester sowohl in Lettland als auch im Ausland ein gefragtes Ensemble.

⊕69 [E7] **Konzertsaal (Spīķeru koncertzāle)**, im Speicherviertel ⑪. Hier hat das Kammerorchester Sinfonietta Rīga (www.sinfoniettariga.lv) sein Zuhause. Die jungen Musiker sind offen für alle Stilrichtungen – von Barock bis zeitgenössischer Musik – und spielen mal im Smoking, mal im T-Shirt.

㉕ [F5] **Lettische Nationaloper.** Klassisches Opern- und Ballettrepertoire von Verdis „La Traviata" über Wagners „Walküre" bis hin zu Tschaikowskys „Schwanensee". Die Opernstücke werden meist in ihrer Originalsprache aufgeführt und gleichzeitig in englischer und lettischer Sprache übertitelt.

◌70 [G3] **Neues Theater Riga (Jaunais Rīgas Teātris)**, Lāčplēša iela 25, www.jrt.lv. Das Neue Theater ist das künstlerisch bedeutendste Schauspielhaus in Riga. Es richtet seinen Fokus auf qualitativ hochwertige Stücke für ein modernes, gebildetes und sozial engagiertes Publikum. Mit seinen zeitgenössischen Stücken ist das Neue Theater regelmäßig auf Festivals in ganz Europa vertreten.

◌71 [E5] **Russisches Theater Riga (Rīgas Krievu teātris)**, Kaļķu iela 16, www.trd.lv. Wer des Russischen mächtig ist, für den lohnt sich eines der russischen Theaterstücke. Aber auch ohne entsprechende Sprachkenntnisse kann man die eindrucksvollen Gesangs- und Klavierabende besuchen.

Kino

Ein Kinobesuch in Riga ist gar nicht so absurd, wie es zunächst klingen mag. Meist werden ausländische Produktionen nämlich **im Original** mit lettischen und russischen Untertiteln gezeigt, sodass man an einem verregneten Abend in Rigas Kinos durchaus **Filme auf Englisch** (oder sogar auf Deutsch) sehen kann.

▨72 [F6] **Kino Citadele**, 13. Janvāra iela 8, www.forumcinemas.lv. Eines der größten Multiplexkinos in Osteuropa. In 14 Sälen werden vor allem Mainstream-Filme, aber auch ab und zu Übertragungen aus der New Yorker Metropolitan Opera oder dem Moskauer Bolschoi-Theater gezeigt.

▨73 [G4] **Kinogalerija K. Suns**, Elizabetes iela 83/85, www.kinogalerija.lv. Kleines Alternativkino im Bergs-Basar mit angenehmer Atmosphäre, das Filme zeigt, die in den großen Kinos nicht laufen.

❭ **Splendid Palace im Kino Riga** ㉜. Sympathisches, modernes Programmkino mit vorwiegend europäischen Autorenfilmen und Art-House-Produktionen. Außerdem wird das Programm oft durch Festivals und Retrospektiven berühmter Filmklassiker ergänzt. Doch allein schon die atemberaubende Gestaltung des Kinosaals lohnt einen Besuch.

013rg Abb.: lk

Riga für Kauflustige

Riga hat kauflustigen Gästen eine Menge traditioneller lettischer Souvenirs und origineller Mitbringsel zu bieten. Überall in der Altstadt befinden sich Souvenirstände, an denen Bernsteinketten, gestrickte Handschuhe und Socken mit typisch lettischen Mustern, Porzellan oder Holzlöffel verkauft werden.

Vor allem auf der **Skārņu iela** [E5] hinter der Petrikirche ❽, auf der **Vaļņu iela** [E5] und an der **Kaļķu iela** [D/E5] nahe dem Rathausplatz ❶ reiht sich ein Verkaufstisch an den nächsten. Zahlreiche Bernstein- und Souvenirgeschäfte gibt es zudem auf der **Torņa iela** ㉒ zwischen Pulverturm ㉓ und Arsenal (s. S. 71).

Außerhalb der Altstadt kann man einige Läden entdecken, die sich mit ihren ungewöhnlichen Produkten eine kreative Nische gesucht haben. Originelle, kleine Geschäfte gibt es vor allem auf der **Miera iela** ㊿. Wer

auf der Suche nach Modegeschäften jenseits der großen Ketten ist, sollte einmal über die **Krišjāņa Barona iela** [G4/H3] spazieren.

Einkaufstipps

Einkaufsgalerien

❸⓪ [G4] **Bergs-Basar (Berga Bazārs).** Modeboutiquen, einen exquisiten Weinladen, Galerien, Restaurants, Accessoire- und Geschenkläden und mittendrin das luxuriöse Hotel Bergs beherbergt diese über 100-jährige Einkaufspassage. Das Hofambiente der zweistöckigen Häuser macht den Bergs-Basar zu einem beliebten Ort für urbane, kreative junge Menschen.

🛍74 [E5] **Galerija Centrs,** Audēju iela 16, www.galerijacentrs.lv. Inmitten der Altstadt gelegen, befinden sich in diesem

△ *Beliebtes Andenken: bunte Stricksachen vom Souvenirhändler*

Einkaufszentrum 140 Geschäfte auf vier Etagen, darunter etliche Modeläden bekannter Marken, Fachgeschäfte und Restaurants. Bereits seit 1938 dient das vor wenigen Jahren vollständig modernisierte Gebäude als Einkaufsgalerie.

🛍75 [G3] **Galleria Riga,** Dzirnavu iela 67, www.galleriariga.lv. Dieses moderne Einkaufszentrum in der Neustadt verbindet Geschäfte für den alltäglichen Gebrauch, Modeboutiquen für Erwachsene und Kinder, Schuhläden und Schönheitssalons mit kulturellen Erlebnissen. Es gibt Buchläden, eine Galerie zeitgenössischer Gemälde mit dem schönen Namen „Museum glücklicher Kunst", Restaurants mit Livemusik und eine Dachterrasse, die einen eindrucksvollen Blick über Riga gewährt (s. S. 77).

🛍76 [F6] **Stockmann,** 13. Janvāra iela 8, www.stockmann.lv. Im Rigaer Haus der finnischen Kette Stockmann gibt es vor allem Mode für Frauen und Männer, Kosmetik und ein großes Delikatessengeschäft. Das mehrstöckige Warenhaus hält eine große Auswahl internationaler Marken bereit.

Mode, Schuhe und Accessoires

🛍77 [D4] **Galerija ETMO,** Arsenāla iela 7, www.etmo.lv. Exquisite Dinge für den alltäglichen Gebrauch verspricht die Galerie ETMO. Sie werden von lettischen Künstlerinnen und Künstlern aus traditionellen Materialien und nach althergebrachten Kunsthandwerkstraditionen gefertigt. Darunter sind feine Leinen- und Wollschals, Tücher, Schuhe aus Wollfilz und Accessoires wie handgefertigtes Glas, Porzellan- und Tongeschirr oder Kerzen. Wer natürliches Design und hochwertige Mitbringsel sucht, wird hier bestimmt fündig.

🛍78 [E2] **Madam Bonbon,** Alberta iela 1-7 a, www.madambonbon.lv. Wo würden Frauen am liebsten Schuhe anprobieren? Wahrscheinlich zu Hause in den eigenen vier Wänden. Darum ist dieser Schuhladen in der Alberta iela ❸❽ kunst- und stilvoll in einer Jugendstilwohnung eingerichtet. Schuhe finden sich im Schlafzimmer auf dem Bett, auf dem Couchtisch des Wohnzimmers und selbst auf dem Rand der Badewanne. Fachlich beraten werden Schuhliebhaberinnen von der Dame des Hauses.

🛍79 [G4] **Otrā elpa,** Marijas iela 13 (Bergs-Basar ❸❶). Der „Zweite Wind" ist ein ganz besonderer Laden, denn alle angebotenen Dinge stammen von privaten Spendern und die Einnahmen kommen wohltätigen Projekten, z. B. Kinder- oder Seniorenheimen, zugute. Im Wohltätigkeitsladen gibt es von Secondhandkleidung und Schuhen über gebrauchte Möbel, Spielzeug und allerlei Kleinkram bis hin zu Büchern fast alles, was man kaufen und verkaufen kann.

Bernstein und Schmuck

🛍80 [E4] **Amber Line,** Torņa iela 4. In der gesamten Altstadt und vor allem auf der Torņa iela ❷❷ finden sich Filialen von Amber Line, der wohl größten Kette von Bernsteinschmuckläden in Riga. Die Auswahl ist entsprechend groß und wenn man Glück hat, kann man in einem der Geschäfte ab und an preisreduzierte Bernsteinaccessoires erstehen.

KURZ & KNAPP

Das lettische Feuerkreuz

Gelegentlich findet man in Souvenirshops künstlerisch gestaltete Gebrauchsgegenstände und mit Ornamenten verzierte Stickereien, die mit einem Hakenkreuz geschmückt sind. Es handelt sich hierbei um das lettische Feuerkreuz *(ugunskrusts),* ein **uraltes Symbol der lettischen Folklore,** das nicht zwangsläufig in Verbindung zum Nationalsozialismus steht.

🏠 81 [E5] **Baltu Rotas**, Grēcinieku iela 11-2, www.balturotas.lv. Handgearbeitete Kopien altertümlichen Silberschmucks aus dem Baltikum und moderne Design-kollektionen gibt es im Hof schräg gegen-über dem Eingang zur Petrikirche ❽. Die bezaubernden lettischen Schmuckstü-cke aus alten Zeiten kann man aber nicht nur kaufen, sondern auch in dem zum Laden des Designerehepaars Straupe gehörenden Museum bestaunen.

🏠 82 [D5] **Hasta amber**, Krāmu iela 3. Auf der Suche nach individuell gestalteten Schmuckstücken aus Bernstein sollte man den kleinen Laden der Familie Romuls besuchen. Geschmackvolle Ohr-ringe, Ketten oder Ringe aus Kombinatio-nen von Gold, Silber, Leder und Bernstein sind die Passion des Familienbetriebs.

Rigaer Schwarzer Balsam

Rigaer Schwarzer Balsam *(Rīgas Melnais balzams)* ist der große Stolz der Letten. Der **hochprozentige Kräuter-likör** wird aus bis zu 24 Arzneipflan-zen wie Lindenblüten, Birkenknos-pen, Baldrianwurzeln, Himbeeren, Johanniskraut, Wermut und Ingwer in einer geheimen Mixtur mit Kornspiri-tus, Wasser und exotischen Balsam-ölen hergestellt. Er wird 32 Tage lang in einem Eichenfass gelagert und anschließend **in Steinzeugflaschen abgefüllt.** Der Legende nach erfand ihn 1752 der Rigaer Kaufmann Abra-ham Kunze, um damit die russische Zarin Katharina II. zu heilen. Nicht jedem Besucher schmeckt der Rigaer Balsam auf Anhieb, weshalb die Einheimischen empfehlen, ein paar Tropfen davon in den Tee oder Kaf-fee zu geben oder ihn mit dem hei-ßen Saft schwarzer Johannisbeeren zu genießen.

Andenken und Mitbringsel

🏠 83 [E3] **Abra**, Krišjāņa Valdemāra iela 17, www.veikalsabra.lv. In diesem Laden gegenüber vom Nationalen Kunstmu-seum ㉟ kann man viele in Lettland produzierte Mitbringsel erstehen. So fin-det man dort von Geschenken, Gesund-heitsprodukten und Kosmetik über Spiel-zeug und Leinen bis hin zu Süßem und Lebensmitteln eine umfangreiche Aus-wahl lettischer Souvenirs.

🏠 84 [E1] **Art Nouveau Rīga**, Strēlnieku iela 9, www.artnouveauriga.lv. Jugendstil ist ein Markenzeichen Rigas und in die-sem kleinen Laden am Ende der Alberta iela ㊳ gibt es alles, was im Stil der Kunstrichtung designt wurde: Masken und Porzellanbecher, Lampen und Ker-zenhalter, Tischdecken und Postkarten. Besonders schön sind die Fotoalben aus der Zeit der Jahrhundertwende.

🏠 85 [F7] **Deficīts**, Turgeņeva iela 15. Der kleine Laden in einem Holzhaus in der Moskauer Vorstadt bietet ein kurio-ses Sortiment. Wer gern auf Flohmärk-ten wühlt, findet hier vielleicht das eine oder andere Mitbringsel, beispielsweise selbst gestrickte Tassenwärmer.

🏠 86 [D4] **Hobbywool**, Mazā Pils iela 6, www.hobbywool.com. In einem alten Priesterhaus aus dem 17. Jahrhun-dert werden wunderschöne Stricksa-chen, Wolle, Leinenkleider und liebevoll gestaltete Geschenke verkauft. Die bun-ten, selbstgestrickten Handschuhe und Socken gehören zur lettischen National-kultur, man findet aber auch alles an Zubehör, um das Stricken zum eigenen Hobby zu machen.

🏠 87 [G2] **Muhamors**, Baznīcas iela 14 (Eingang über die Lāčplēša iela), www. muhamors.lv. Dieser Geschenkladen ist eine Oase für alle, die entspannt nach einem kleinen Präsent stöbern möch-ten. Ob Buchweizenkissen, Ohrringe oder Armbänder, Kosmetik oder gestrickte let-tische Fausthandschuhe, Keramiktöpfe,

Shoppingareale

Die wichtigsten Shoppingbereiche der Stadt sind im Kartenmaterial mit einer rötlichen Fläche markiert.

Kerzen oder elegant gestaltete Notizbüchlein – alles ist geschmackvoll ausgesucht und präsentiert.

🏠 **88** [G4] **Rīja,** Tērbatas iela 6/8, www.riija.lv. Lettisches Design bestimmt das qualitativ hochwertige Angebot in diesem Concept Store in der Neustadt. Neben stilvoller Leinenbettwäsche, farbenprächtigen Porzellan und Kerzen in Form altlettischer Symbole gibt es auch das eine oder andere Kuriosum, zum Beispiel handgemachte Naturseife für langhaarige Hunde.

🏠 **89** [A5] **Viss Antīkais,** Balasta dambis 3, Bus 13, 37, 47, 53 u. Trolleybus 5, 9, 12, 25 bis Haltestelle „Ķīpsala", www.vissantikais.lv. Das sehenswerte Antiquariat befindet sich in einer alten Werkshalle auf der Insel Ķīpsala ㊿. Es gilt als größtes Antiquitätengeschäft Rigas und bietet kunstvolle Tische, Stühle, Sofas oder Spiegel aus der Zeit des beginnenden 20. Jahrhunderts. Selbst wer keine Antiquitäten zu durchaus akzeptablen Preisen erwerben möchte, sollte den Weg nach Ķīpsala nicht scheuen, denn die Insel lädt zu einem ruhigen, romantischen Spaziergang entlang der Düna ein – und ein Bummel durch die ordentlich sortierten Schätze vergangener Zeiten im Antiquariat macht auch ohne Kaufabsicht Spaß.

Gaumenfreuden zum Mitnehmen

🏠 **90** [E5] **Daugmales Medus,** Pēterbaznīcas iela 17, www.daugmales medus.lv. In diesem kleinen Laden hinter der Petrikirche ❽ gibt es Honig (lettisch: *medus*) und Honigprodukte von einem südlich von Riga an der Düna gelegenen Bauernhof. Aufgrund der vielen Wiesen und Felder im recht dünn besiedelten Lettland ist die Imkerei ein weit verbreitetes Hobby unter den Letten und Honig ein beliebtes lettisches Naturprodukt.

🏠 **91** [E5] **Laima,** Audēju iela 16 (Galerija Centrs, s. S. 84), www.laima.lv. Schokolade von Laima gilt neben Rigaer Balsam als wichtigstes kulinarisches Souvenir aus Lettland. Die beliebte Schokoladenfirma verkauft in ihren zahlreichen Filialen in Riga leckere handgemachte Bonbons, liebevoll verpackte Pralinen und Präsentkörbe. Einen Fabrikverkauf gibt es auch neben dem Laima Schokoladenmuseum (s. S. 73).

🏠 **92** [D4] **Latvijas balzams,** Smilšu iela 16, www.balzams.lv. Rigaer Balsam ist das alkoholische Mitbringsel aus Lettland schlechthin. Im Laden des Herstellers bekommt man den traditionellen lettischen Likör in verschieden großen Steinzeugflaschen. Es gibt hier aber weitaus mehr alkoholische Köstlichkeiten, wie zum Beispiel den estnischen Likör Vana Tallinn („Alt-Tallinn") oder russischen Wodka. Latvijas balzams hat etliche Filialen in Riga, die Produkte der Firma bekommt man allerdings auch in jedem Supermarkt.

Bücher und Musik

🏠 **93** [G4] **Birojnīca,** Dzirnavu iela 84 k-2. Dieser Laden im Bergs-Basar ㉚ ist Buchantiquariat, Café und öffentlicher Büroarbeitsplatz in einem. In der Birojnīca gibt es eine kleine Auswahl gebrauchter englisch- und deutschsprachiger Bücher über Kunst und Philosophie sowie Belletristik. Beliebt ist der Laden aber vor allem bei jungen laptopverliebten Menschen, die hier eine entspannte Atmosphäre zum Arbeiten vorfinden.

🏠 **94** [E5] **Globuss,** Vaļņu iela 26. Einer der größeren Buchläden in Riga, direkt in der Altstadt gelegen. Globuss hat zahlrei-

Shop'n'Stop: einkaufen und entspannen

Einkaufen in Riga muss nicht anstrengend sein. Da sich viele Geschäfte in der nur von wenigen Autos befahrenen Altstadt befinden, ist ein Café oder Restaurant für eine kleine Pause immer in der Nähe. Sehr entspannend ist das Stöbern nach kleinen Geschenken und Souvenirs im **Muhamors** (s. S. 86). Denn dort kann man in einer Ladenecke oder auf der Terrasse des Holzhauses Tee, Cappuccino oder ein Glas frischen Karottensaft genießen. Die Atmosphäre im Muhamors ist so angenehm, dass es selbst Shoppingmuffeln dort gefallen wird.

che Reiseführer über Riga und Lettland auf Deutsch im Angebot und führt darüber hinaus eine gute Auswahl an Klassikern der Weltliteratur auf Englisch. In der 2. Etage des Ladens gibt es ein kleines Café, wo sich in Ruhe in den Büchern schmökern lässt.

95 [F2] **Robert's Books in Riga,** Dzirnavu iela 51 a, www.robertsbooks.lv. Etwas versteckt in einem Hinterhof befindet sich der Buchladen des früheren Moskau-Korrespondenten der Financial Times, Robert Cottrell. Er verkauft gebrauchte englische Bücher zu fairen Preisen. Neben Belletristik und Krimis gibt es vor allem Bücher zu Politik und Geschichte.

96 [E5] **UPE,** Vaļņu iela 26, www.upe veikals.lv. In diesem sympathischen Musikladen gibt es nicht nur eine gute Auswahl an Klassik, Jazz, Rock und Pop sowie lettischer Musik, alte Vinylplatten und lettische Filme auf DVD, sondern auch ausgewählte Weine aus Frankreich, Spanien oder Deutschland. Das Personal ist sehr freundlich und in einer kleinen Ecke kann man sich bei Wein und Musik entspannen.

Märkte

46 [H7] **Trödelmarkt Latgalīte.** Kein klassischer Trödelmarkt, sondern eher eine Ansammlung von Schrott oder Waren teils unbekannter Herkunft, die chaotisch geschichtet ein seltsam skurriles Ambiente schaffen. Eher ein Ziel, um eine andere Seite Rigas kennenzulernen als ein Ort zum Einkaufen.

97 **Wochenmarkt im Kalnciems-Viertel,** Kalnciema iela 35, Bus 22, 32, 35, 43, 53 bis Haltestelle „Melnsila iela", www.kalnciemaiela.lv. Jeden Samstag ist Markttag im Kalnciems-Viertel. Von 10 bis 16 Uhr werden dort zwischen pittoresken Holzhäusern deftige Wurstwaren, selbstgemachte Marmelade, die ganze Bandbreite lettischen Käses, Honig, Blaubeerwein und viele weitere Köstlichkeiten verkauft. Überall kann man *slow food* probieren und auch typisch lettische Souvenirs wie bunte Wollerzeugnisse und Holzgeschirr erwerben. Der Ausflug nach Pardaugava – dem Stadtteil am linken Dünaufer – lohnt sich!

40 [F6] **Zentralmarkt.** Frisches Obst und Gemüse in großer Auswahl und Unmengen an Fleisch, Wurst und Fisch, Käseprodukten, Brot und vieles mehr bekommt man in den Hallen des Zentralmarktes bzw. an den vielen Ständen davor. Alles wird zu günstigen Preisen verkauft. Es gibt wohl kaum einen Rigaer, der nicht regelmäßig auf dem riesigen Markt einkaufen geht.

Zentraler Supermarkt

98 [E5] **Rimi,** Audēju iela 16, geöffnet: tgl. 8–22 Uhr. Im Erdgeschoss der altstädtischen Galerija Centrs (s. S. 84) befindet sich der Supermarkt Rimi, wo es eine recht große Auswahl an Lebensmitteln und Getränken, aber auch Mitbringsel wie Rigaer Balsam oder Konfekt der lettischen Schokoladenfabrik Laima gibt.

Riga zum Träumen und Entspannen

Riga strahlt eine angenehme Urbanität und Weltoffenheit aus, ohne dabei anstrengend oder hektisch zu sein. Im Zentrum ebenso wie außerhalb bietet die Stadt Erholungssuchenden zahlreiche Rückzugsmöglichkeiten.

Am Stadtkanal

Stimmengewirr und Musikfetzen liegen in der Luft und lassen die kreative Energie der Stadt spüren. Der Blick geht aufs Wasser und die Sonne scheint. Von allen Grünanlagen Rigas ist der Park am Stadtkanal **29** vielleicht der schönste. Wer will, kann sich **ein Boot mieten** und vom Wasser aus dem Treiben zuschauen. Oder man schlendert **auf den Parkwegen entlang** und **erklimmt den Basteiberg** (Bastejkalns) [E4].

Gibt man sich danach dem Treiben auf den breiten Alleen des Brīvības bulvāris (Freiheitsboulevard) hin, ist man in wenigen Minuten an der **Esplanade 30**, einer sehr weiträumigen Grünfläche linker Hand, oder im **Wöhrmannschen Garten 31** auf der rechten Seite des Boulevards.

*⌃ Am Stadtkanal **29** kann man die Seele baumeln lassen*

Heinz Erhardt

*Zweimal kam Heinz Erhardt nach eigenem Bekunden zur Welt: am 7. Februar nach russischer und am 20. Februar nach deutscher Zeitrechnung. Jahr und Ort sind unbestritten - **1909 in Riga.** Zu jener Zeit herrschte der russische Zar noch über die Stadt, aber die Deutschbalten bestimmten das kulturelle Leben und die Letten formierten sich gerade zu einer eigenen Nation.*

*In Riga spielte Heinz Erhardt als Sechsjähriger mit einem Finger „Hänschen Klein" auf dem Klavier, reimte seine ersten kurzen Gedichte und probte als junger Mann in den Kaffeehäusern der Stadt für seinen Aufstieg zum gefeierten und beliebtesten deutschen **Humoristen, Wortakrobaten und Sprachdrechsler.***

*Der junge Heinz wuchs größtenteils bei seinen Großeltern auf, die in Riga das **Noten- und Musikhaus Neldner** führten. Nach vielen Schulwechseln und Aufenthalten bei seiner Mutter in Petrograd (dem heutigen St. Petersburg) und seinem Vater in Deutschland kam er als 15-Jähriger auf das **Deutsche Gymnasium in Riga.** Vom Schulbesuch hielt Heinz Erhardt nicht viel, er dichtete lieber humoristische Verse an die Lehrerschaft und fiel schließlich durchs Abitur. Sein Großvater schickte ihn daraufhin als **Volontär im Musikhandel** nach Leipzig, wo der 17-Jährige nebenbei am Leipziger Konservatorium Klavier und Komposition studierte.*

*Als sein Großvater nach zwei Jahren die Unterhaltszahlungen einstellte, musste Heinz Erhardt sein Studium abbrechen und nach Riga zurückkehren. Ohne großen Elan arbeitete er fortan im **großväterlichen Musikge-**schäft und befand: „In Wirklichkeit ist es völlig wurst, ob man mit Käse handelt oder mit Musik: Immer kauft man billig ein, um teuer zu verkaufen." Zugleich begann er, mit **humoristischen Liedern** auf Festveranstaltungen der Deutschbalten aufzutreten. Bald schon veranstaltete er seine ersten Aufführungen als Komponist und Vortragskünstler für das „Deutsche Schauspiel", jene Schaubühne, die heute das Russische Theater (s. S. 83) beherbergt.*

*Bald war der junge Heinz Erhardt ein **bekannter Sohn der Stadt,** der die deutschsprachige Bevölkerung Rigas mit seinen heiteren Programmen unterhielt. Trotzdem ging es ihm und seiner jungen Familie in Riga finanziell ziemlich schlecht. Um eine große Karriere anzustreben und als Künstler seine Familie ernähren zu können, musste er schließlich nach Deutschland gehen, denn im lettischen Riga war sein Publikum begrenzt. So verließ Heinz Erhardt 1938 seine Heimatstadt und holte seine Familie nach, noch bevor Hitler und Stalin beschlossen, die Deutschbalten umzusiedeln (s. S. 102).*

*In Deutschland wurde Heinz Erhardt dann zum Star unter den deutschen Komikern und eroberte mit seinen sinnig-unsinnigen Pointen, sprachwitzigen Versen und scharfsinnigen Wortverdrehungen Bühnen, Radio, Film und Fernsehen. Wenn der komische Dicke mit der Hornbrille „**noch'n Gedicht"** ankündigte, krümmte sich das Publikum vor Lachen schon vor der Pointe.*

Mit nur 62 Jahren erlitt Heinz Erhardt einen Schlaganfall, nach dem er nicht mehr auftreten und schreiben konnte. Am 5. Juni 1979 starb er in Hamburg.

Am Fluss

Rigas Geschichte ist eng mit der **mächtigen Düna (Daugava)** verbunden – der Fluss hat die Stadt über Jahrhunderte geprägt. Ein klarer Fehler von Rigas Stadtplanern war es daher, die Altstadt durch eine Schnellstraße von der Düna abzuschneiden. Erst seit dem Jahr 2013 ist der Fluss vom Zentrum aus wieder zugänglich, beispielsweise durch einen Tunnel vom Speicherviertel ❹ aus. Ein Abstecher, der sich lohnt! Einen Spaziergang an der Düna mit Blick auf die Silhouette der Altstadt kann man auf der Insel Ķipsala ❺ unternehmen, wo sich entlang der holprig gepflasterten Uferstraße noch alte Holzhäuser aneinanderreihen.

Für das beliebte **Fotomotiv der nächtlichen Altstadt,** die sich in den Fluten der Düna spiegelt, ist die Steinbrücke (Akmens tilts) [C6] ein guter Ausgangspunkt.

Einen ausgedehnten Flussspaziergang kann man schließlich an der etwas außerhalb gelegenen **Dünapromenade ❷** in der Moskauer Vorstadt machen. Wer sich hier als Tourist unter spielende Kinder, Fahrradfahrer, Jogger und Hundehalter mischt, kann beinahe vergessen, dass er eigentlich nur zu Besuch in Riga ist.

Am Strand

Kaum am Hauptbahnhof in Rigas Zentrum eingestiegen, verlässt man den Zug nur eine knappe halbe Stunde später wieder in einem **Kurort am Strand.** Kilometerweit erstreckt sich Jūrmala ❷ entlang der Küste, sodass auch Ruhesuchende hier ihr einsames und **ungestörtes Plätzchen** finden können.

Ein Tag in der Natur

Rigas **Ethnografisches Freilichtmuseum ❻** ist am Ufer eines Sees gelegen und von Hügeln und Kiefernwäldern geprägt. Ein Ort wie geschaffen, um mit der Familie oder Freunden den gesamten Tag dort zu verbringen und sich in eine frühere Zeit versetzen zu lassen. Auch im Naherholungsgebiet **Mežaparks ❺** kommen Naturfreunde auf ihre Kosten. Herrlich müßige Nachmittage lassen sich dort am Badesee verbringen.

Träumen und entspannen in der Stadt

Auch in Rigas Innenstadt gibt es sie: **ruhige und gleichzeitig urbane Orte** mit dem gewissen Etwas. Besser noch als auf dem belebten Livenplatz ❺ schmeckt das gemütliche Nachmittagsbier in den verwinkelten Höfen von Konventhof ❶ und Johannishof ❿.

Gänzlich untouristisch, von besonderem Ambiente und doch mitten in der Stadt ist das Viertel mit den alten Speicherhäusern ❻ um die Alksnāja iela. Und dem bunten Treiben in der Neustadt kann man beispielsweise bei einem gemütlichen Kaffee aus dem ersten Stock der Galerija Istaba (s. S. 76) zuschauen.

EXTRATIPP · **Riga für Morgenmuffel**

Wer gerne gemächlich mit einer Tasse Kaffee und einer Zeitung zur Mittagsstunde in den Tag startet, dem seien als gemütliche Orte die **Galerija Istaba** (s. S. 76, geöffnet ab 12 Uhr) oder das Café **Fazenda** (s. S. 76) empfohlen.

084rg Abb.: www.flickr.com © Dainis Matisons

Zur richtigen Zeit am richtigen Ort

Zwei große jahreszeitliche Feste prägen den Lauf des Jahres in Lettland und seiner Hauptstadt: **Weihnachten** im Dezember und das **Mittsommerfest** im Juni (s. Exkurs S. 95).

Die Kulturmetropole Riga wartet auch in den übrigen Monaten mit einem **reichen Programm an Festivals und Veranstaltungen** auf. Dabei ist jedoch zu beachten, dass die kreativen Köpfe der lettischen Hauptstadt immer mal wieder neue Traditionen begründen, während andere wiederum einschlafen. Und so manches Fest verschiebt sich auch im Jahresverlauf.

Vor Ort geben natürlich die **Touristeninformationen** (s. S. 117) Auskunft zu allen Feierlichkeiten und Festivals. Dort erhält man auch einen **Veranstaltungskalender** auf Deutsch für das aktuelle Quartal.

Januar/Februar

❯ Das **Rigaer Winterfest** *(Ziemas mūzikas festivāls)* hat seinen Beginn bereits im November und läuft bis in den Februar hinein. In dieser Zeit werden Konzerte unterschiedlicher Stilrichtungen veranstaltet. Informationen unter www.hbf.lv.

März/April

❯ Zwischen astronomischem Frühlingsanfang und Ostern findet jährlich das **Festival „Windstream"** statt, bei dem in Riga an verschiedenen Orten zahlreiche Konzerte gegeben werden. Aktuelle Informationen finden sich auf der Website http://orkestris.riga.lv unter dem Menüpunkt Festivals.

❯ Das **Baltische Ballettfestival** *(Baltijas Baleta festivāls)* findet Ende April bis Anfang Mai statt. Bei zahlreichen Aufführungen internationaler Ensembles werden die neusten Entwicklungen der Tanzkunst präsentiert. Aktuelle Informationen sind unter www.ballet-festival.lv abrufbar.

Mai

❯ Am 4. Mai feiert Lettland seinen **Unabhängigkeitstag** *(Latvijas Neatkarības deklarācijas pasludināšanas diena)*, der in Riga unter anderem mit Konzerten unter freiem Himmel begangen wird (s. Feiertage S. 94).

❯ Wie viele andere Städte auch hat Riga eine **Museumsnacht** *(Muzeju nakts)*, bei der viele Häuser bis nach Mitternacht geöffnet haben. In Riga ist zu diesem Anlass auch der Eintritt in die Museen frei. Die Website www.muzeju-nakts.lv existiert bislang leider nur in einer lettischen Variante, allerdings lässt sich zumindest ein englischsprachiges Programm über den Menüpunkt „Programma" anwählen.

❯ Beim **Riga Marathon** *(Rīgas Maratons)* lässt sich die Schönheit der alten Hansestadt auf sportliche Art und Weise entdecken. Schon seit 1991 findet der Lauf durch die lettische Hauptstadt regelmäßig statt. Infos finden sich unter www.lattelecomrigasmaratons.lv.

❯ Freunde des Hopfengetränks kommen Ende Mai im Wöhrmannschen Garten ㉛ beim **Bierfest** *(Latvia Beerfest)* auf ihre Kosten. Ausführliche Informationen unter www.latviabeerfest.lv.

Juni

❯ Seit 1998 veranstaltet die Lettische Nationaloper ㉕ jedes Jahr im Juni das **Opernfestival** *(Rīgas Operas festivāls)*. Zum Ende der Spielzeit zeigt die Nationaloper noch einmal die besten Aufführungen der Saison. Mehr Informationen stehen im Internet unter www.opera.lv/en/festival.

❯ Sich selbst feiert die lettische Hauptstadt jeden Juni für knapp drei Wochen mit dem **Riga-Festival** *(Rīgas festivāls)*. Das aktuelle Programm findet sich unter www.rigasfestivals.lv.

Juli

❯ Alle fünf Jahre findet Anfang Juli das lettische **Sängerfest** *(Vispārējie latviešu Dziesmu un Deju svētki*, s. Exkurs S. 62) statt. Nach der letzten Veranstaltung im Jahr 2013 sind die eindrucksvollen Chorgesänge wieder 2018 zu erleben.

❯ Gidon Kremer, lettischer Violinist deutsch-jüdischer Abstammung, veranstaltet jährlich im Juni oder Juli in der lettischen Kleinstadt Sigulda das **Festival „Kremerata Baltica"**, in dessen Rahmen auch ein Konzert in Riga gegeben wird. Informationen unter www.kremerata-baltica.com.

❯ Seit mehr als einem Vierteljahrhundert gibt es das sommerliche **Orgelmusikfestival** im Rigaer Dom ⑰ *(ērģeļmūzikas festivāls Rīgas Doms)* bereits. Neben Klassik wird dort auch moderne Orgelmusik gespielt.

❯ Im nordlettischen Küstenort Salacgrīva findet Mitte Juli das **Musik- und Kunstfestival Positivus** statt. Informationen finden sich unter www.positivusfestival.com.

❯ Den Reigen musikalischer Leckerbissen im Juli beschließt das **Festival der Frühen Musik** *(Senās mūzikas festivāls)*,

◁ *Das lettische Sängerfest (s. S. 62)*

Gesetzliche Feiertage in Lettland

> 1. Januar – **Neujahr** *(Jaungada diena)*
> März/April – **Ostern** *(Lieldienas)*
> 1. Mai – **Tag der Arbeit** *(Darba svētki)*
> 4. Mai – **Erklärung der Unabhängigkeit** *(Latvijas Neatkarības deklarācijas pasludināšanas diena)*
> 23. Juni – **Līgofest/ Sommersonnenwende** *(Līgo)*
> 24. Juni – **Johannisfest/ Sommersonnenwende** *(Jāņi)*
> 18. November – **Lettischer Unabhängigkeitstag** *(Latvijas Proklamēšanas diena)*
> 25./26. Dezember – **Weihnachten** *(Ziemassvētki)*
> 31. Dezember – **Silvester** *(Vecgada diena)*

Während am 18. November an die Unabhängigkeitserklärung im Jahr 1918 erinnert wird, feiert Lettland am 4. Mai die Erklärung der Wiederherstellung der Unabhängigkeit im Jahr 1990.

das in dem etwa 80 Kilometer von Riga entfernten Schloss Rundāle stattfindet. Im Mittelpunkt stehen die Musik des Mittelalters, der Renaissance oder des Barock. Informationen gibt es unter www.smf.lv.

August

> Nicht zu verwechseln mit dem Riga-Festival im Juni ist das **Rigaer Stadtfest** *(Rīgas svētki)* im August, das mit einer Vielzahl von künstlerischen, musikalischen und dramaturgischen Darbietungen zu den Höhepunkten des Veranstaltungsjahres zählt. Das Programm findet sich online unter www.rigassvetki.lv.
> Die Alberta iela ❸❽, eine der prächtigsten Jugendstilmeilen Rigas, feiert einmal jährlich ein **dem Jugendstil gewidmetes Straßenfest** *(Alberta ielas svētki)*. In diesen Tagen lässt sich dort die Atmosphäre des beginnenden 20. Jahrhunderts nacherleben, als Riga zu einer Jugendstilmetropole europäischen Ranges geworden war, die sogar Wien in den Schatten stellte.
> Ab Ende August veranstaltet der Staatliche Akademische Chor Lettlands das dreiwöchige **Festival der geistlichen Musik** *(Garīgās mūzikas festivāls)*, das erstmals 1998 stattfand. Nähere Informationen finden Interessierte im Internetauftritt www.choirlatvija.lv.

September

> Alle zwei Jahre findet in Riga und Umgebung das **Theaterfestival „Homo Novus"** statt, das nächste Mal voraussichtlich 2017. Im Mittelpunkt steht das zeitgenössische Theater. Informationen für Besucher unter www.homonovus.lv.
> Zeitgenössische Kunst steht im Blickpunkt des **Festivals „Survival Kit"**, das 2009 als künstlerische Reaktion auf die globale Wirtschaftskrise begründet wurde. Die Internetpräsenz findet sich unter www.survivalkit.lv.
> Die sogenannten Weißen Nächte im Juni lassen es in Riga nie ganz dunkel werden. Im September, wenn sich Tag- und Nachtlänge wieder angleichen, steht die kulturelle **„Weiße Nacht"** *(„Baltā nakts")* auf dem Rigaer Veranstaltungskalender: ein Gemeinschaftsprojekt Rigas mit den europäischen Hauptstädten Brüssel, Madrid, Paris und Rom. Dabei sind in Riga Werke von Künstlern aus ebenjenen Städten zu bewundern. Informationen unter www.baltanakts.lv.

Das Mittsommerfest in Lettland

*Ähnlich wie in anderen Ländern Skandinaviens und des Baltikums ist **das bedeutendste Fest im Jahr** in Lettland die Sommersonnenwende. „Jāņi" bzw. „Līgo" heißt das Fest, das in der Nacht vom 23. auf den 24. Juni gefeiert wird. Während Jānis der beliebteste lettische Männername ist, tragen viele Frauen den Namen Līga - auch dies ein Beleg für die Bedeutung des Festes in der lettischen Kultur. Jānis ist die lettische Entsprechung des deutschen Johannis und steht für das **Johannisfest**, das im Christentum zur Erinnerung an die Geburt Johannes des Täufers gefeiert wird und auf den 24. Juni fällt. Die Wurzeln des lettischen Līgofestes reichen jedoch weit in vorchristliche Zeiten zurück und auch die meisten der mit der Mittsommernacht verbundenen Traditionen haben einen **heidnischen Ursprung.***

*Die Feier des längsten Tages und der kürzesten Nacht des Jahres steht in Zusammenhang mit einem alten **Fruchtbarkeitskult** und bis heute gilt die Nacht vom 23. auf den 24. Juni als besonders geeignet, um etwa den Heiratstermin einer Frau vorherzusagen. Besonderes Glück erwartet diejenigen, die in der Mittsommernacht blühenden Farn finden - was jedoch vollkommen unmöglich ist, denn tatsächlich blüht Farn überhaupt nicht.*

*Zu den **kulinarischen Spezialitäten**, die mit dem Līgofest verbunden sind, gehören ein besonderer Käse und ein speziell gebrautes Bier (welches allerdings in jüngerer Zeit häufig durch gekauftes aus dem Supermarkt ersetzt wird). Männer tragen zur Feier des Tages einen Kranz aus Eichenlaub, Frauen schmücken sich mit einem Blumenkranz. Mut kann mit dem Sprung über das **Johannisfeuer** bewiesen werden, das in jeder Region Lettlands nach eigenen Traditionen entzündet wird. Und wie es sich für ein Volk von Sängern gehört, werden in der Johannisnacht natürlich **zahllose Lieder** angestimmt. Unbedingt sollte man in der Nacht wachbleiben - denn wer zu Jāņi schläft, der wird gemäß Volksglauben das ganze Jahr über faul sein.*

Traditionell ist Līgo ein Fest, das im Kreis der Familie oder mit engen Freunden gefeiert wird. Für Riga-Gäste empfiehlt es sich, zu den Feierlichkeiten das Ethnografische Freilichtmuseum **60** *zu besuchen.*

010rg Abb.: lk

> Für Musikfreunde hält der September das **Herbstfestival der Kammermusik** *(Rudens kamermūzikas festivāls)* bereit. Der Spielplan lässt sich über den Onlineauftritt www.kamermuzika.lv abrufen.

> Das Beste aus Hollywood, von den internationalen Filmfestivals in Cannes, Venedig oder Berlin sowie alte und neue cineastische Meisterwerke bietet Mitte bis Ende September das **Kinofestival „Baltische Perle"** *(„Baltijas pērle")*. Das aktuelle Programm gibt es unter www.balticpearl.lv.

> Bis in den Januar hinein feiert die mutmaßliche Mutterstadt des Weihnachtsbaums das **Weihnachtsbaumfestival** *(Ziemassvētku eglu ceļš)* mit festlich geschmückten Bäumen in der ganzen Stadt. Informationen zurzeit nur auf Lettisch unter www.eglufestivals.lv.

Oktober–Dezember

> Das **Kurzfilmfestival „2ANNAS"** hat sich dem nicht kommerziellen Kino aus Europa und der ganzen Welt verschrieben. Zur Aufführung kommt neben Spielfilmen und Dokumentationen auch experimentelles Kino. Das Programm findet sich im Internet unter www.2annas.lv.

> Experimentellen Filmen ebenso wie experimenteller Musik widmet sich das **Festival „Skaņu mežs"**, was auf Deutsch soviel wie **„Klangwald"** bedeutet. Die Website findet sich unter www.skanumezs.lv.

> Im Zentrum für Zeitgenössische Kunst „kim?" (s. S. 71) findet das **Kulturfestival „Kunst+Kommunikation"** statt. Mehr dazu auf der englischsprachigen Internetseite www.rixc.org.

> Für Liebhaber der Weltmusik bietet die lettische Hauptstadt im November das **Festival „Porta"**. Programminfos unter www.festivalporta.lv.

> Vom 1. Dezember bis zum 12. Januar können die Besucher in Rigas Altstadt einen **Weihnachtsmarkt** mit verführerischen Köstlichkeiten und lettischer Handwerkskunst erleben.

RIGA VERSTEHEN

043rg Abb.: mb

Riga (lettisch: Rīga) ist die größte Stadt des Baltikums. Die Ostseemetropole ist geprägt von einer 800-jährigen Geschichte, die von der Zeit der Hanse über polnische, schwedische und russische Herrschaft und schließlich die sowjetische Besatzung bis hin zur Unabhängigkeit Lettlands ihre Spuren in der Altstadt hinterlassen hat. Von der UNESCO zum Weltkulturerbe erklärt, lockt Riga mit einer außergewöhnlichen Architektur und dem Flair einer alten, nordischen Handelsstadt Gäste aus aller Welt an.

Das Antlitz Rigas

Vor den Toren der Stadt liegt die Ostsee. Wenige Kilometer nordwestlich von Riga erstreckt sich das malerische Seebad Jūrmala **62**, nordöstlich befinden sich schöne, fast menschenleere **Sandstrände**. Wasser prägt auch das Antlitz der Innenstadt. Der **Fluss Düna** (Daugava), der in Russland entspringt, fließt durch die lettische Hauptstadt und mündet dort nach gut 1000 Kilometern in die **Rigaer Bucht**. Das Hinterland im Süden und Westen der Stadt ist flach und relativ dünn besiedelt. Hinter der Stadtgrenze breiten sich ausgedehnte Moore, Sümpfe und Waldgebiete aus.

Rigas Stadtviertel

Rigas historisches Zentrum versammelt mittelalterliche Baukunst, Holzarchitektur aus dem 19. Jahrhundert und großartige Jugendstilhäuser auf relativ kleiner Fläche. Aufgrund dieser außergewöhnlichen architektonischen Sehenswürdigkeiten gehört Rigas Innenstadt seit 1997 auch zum **Weltkulturerbe der UNESCO**.

Magischer Anziehungspunkt für Einheimische und Gäste ist die **Rigaer Altstadt**. Auf gerade einmal einem Quadratkilometer lässt das mittelalterliche Zentrum am rechten Ufer der Düna 800 Jahre Stadtgeschichte lebendig werden. Schmale Gassen, alte Speicher und Überbleibsel der

◁ *Vorseite: Die Laima-Uhr **26** am Freiheitsdenkmal **21** ist ein beliebter Treffpunkt*

▽ *Panoramablick auf Rigas Altstadt*

Festungsanlage lassen spüren, dass Riga eine **alte Hansestadt** ist. Tag und Nacht ist die Altstadt der Lebensmittelpunkt Rigas.

Um die Altstadt herum ziehen sich im Halbkreis Grünanlagen und Boulevards, an denen in der zweiten Hälfte des 19. Jahrhunderts die repräsentativen Gebäude Rigas wie die Nationaloper **25**, das Ministerkabinett oder das Nationale Kunstmuseum **35** errichtet wurden. Diese konnten gebaut werden, nachdem die Schutzwälle um die Stadt abgetragen und die Festungsgräben zugeschüttet worden waren.

Der einsetzende Bauboom um die Wende zum 20. Jahrhundert führte dazu, dass jenseits dieser Boulevards **prachtvolle Straßenzüge im Jugendstil** gebaut wurden, deren fantasievolle Fassaden das Stadtbild Rigas in einer Weise prägen, die ihresgleichen sucht, und die eine der Hauptattraktionen für Riga-Reisende sind. Diese neuen vier- bis sechsstöckigen Häuser aus Stein waren das Domizil der reichen Oberschicht Rigas.

Mit der **Moskauer Vorstadt** südöstlich der historischen Altstadt ist hingegen ein Viertel erhalten geblieben, in dem seit jeher die weniger Wohlhabenden der Stadt lebten. Dort stehen neben maroden Mietskasernen noch heute viele **Holzhäuser aus dem 19. Jahrhundert**, die für die Architektur Rigas so typisch waren. Die Moskauer Vorstadt ist kein klassisches Touristenziel, sondern eher ein Viertel der Arbeiter und Arbeitslosen. Hinter der Moskauer Vorstadt erstrecken sich dann die großen Plattenbauviertel Rigas. Ein Tor in diese weniger auf Touristen ausgerichtete Lebenswelt Rigas ist der Zentralmarkt **40** mit seinen fünf Markthallen und ungezählten Ständen.

Am **linken Ufer der Düna** geht es ruhiger zu. Wer am Rigaer Flughafen ankommt, kann sich auf der Fahrt ins Stadtzentrum einen Eindruck von den Wohnvierteln jenseits der Düna machen. Dort entstand der Prestigebau des neuen unabhängigen Lettlands: der 2014 eröffnete neue Sitz der Lettischen Nationalbibliothek **52**. Das Projekt einer Konzerthalle am Ufer der Düna musste dagegen aus Geldmangel verschoben werden. Geprägt wird der Blick auf das linke Dünaufer zudem von den 2015 fertiggestellten Z-Towers.

021rg Abb.: mb

Zum Stillstand gekommen ist dagegen die Entwicklung der nördlich von Rigas Altstadt gelegenen **Halbinsel Andrejsala** [bf], der einst eine Zukunft als künftiges Trendviertel vorausgesagt wurde. Ursprünglich sollten auf dem brachliegenden Industriegelände eine Uferpromenade, Parkanlagen und ein Museum für Moderne Kunst entstehen. Nun aber zieht es die junge, kreative Szene eher in das Gebiet um die Miera iela ⑤ am Rande der Neustadt.

Außerhalb des Zentrums befindet sich mit der **Gartenstadt Mežaparks** (Kaiserwald) ⑤ ein stadtplanerisches Kleinod aus dem frühen 20. Jahrhundert. Dort entstand ein ganzes Viertel aus Jugendstilvillen, das bald zum beliebten Wohnort des baltendeutschen Bildungsbürgertums wurde, in der Zeit der sowjetischen Besatzung weitgehend verfiel und heute neu renoviert wieder die Wohlhabenden der lettischen Hauptstadt anzieht.

EXTRAINFO

Die Stadt in Zahlen
> **Gegründet:** 1201
> **Einwohner:** rund 641.000 (2015)
> **Bevölkerungsdichte:** 2110 Einwohner je km²
> **Fläche:** 304 km²
> **Höhe ü. M.:** 7 m

Von den Anfängen bis zur Gegenwart

Die Geschichte Rigas ist die Geschichte vieler Völker, die dem Flecken Erde an der Mündung der Düna (Daugava) in die Ostsee ihr Gesicht gaben. Mal friedlich durch Kooperation und Handel, dann wieder in kriegerischen Auseinandersetzungen schrieben sich Letten, Deutsche, Polen, Schweden, Russen und viele andere in die Historie der Stadt ein. Bis heute prägt die multikulturelle Geschichte Rigas das Antlitz der Stadt. Besiedelt wurde das Gebiet an der Dünamündung ursprünglich vor allem von den Liven, deren Sprache mit dem Estnischen und Finnischen, nicht aber mit dem indoeuropäischen Lettisch verwandt ist. Sie waren es auch, die der Region den Namen Livland gaben. Unweit des heutigen Rigas siedelten baltischsprachige Kuren, deren Name in der Region Kurland erhalten geblieben ist. Die Missionierung der „heidnischen" Ur-bevölkerung diente deutschen Ordensrittern, mit dem Segen aus Rom, als Vorwand zur Eroberung weiterer Gebiete im Baltikum.

1201 Offizielle Stadtgründung durch Bischof Albert von Buxthoeven (1165–1229)
1297 Beginn einer 33-jährigen Fehde zwischen dem Deutschen Orden und dem Erzbischof bzw. den Bürgern Rigas
1282 Riga wird Hansestadt.
1330 Der Deutsche Orden übernimmt die Herrschaft über die Stadt.
1522 Reformation in Riga
1558–1583 Im Livländischen Krieg ringt Russland mit Polen-Litauen, Dänemark und Schweden um die Vorherrschaft im Baltikum.
1581 Riga unterwirft sich dem polnischen König Stephan Báthory (1533–1586), da eine Einnahme der Stadt durch russische Truppen droht.
1584 Die Einführung des gregorianischen Kalenders sorgt im protestantischen

Riga für den Ausbruch der sogenannten Kalenderunruhen (bis 1589).

1621 Eroberung Rigas durch den schwedischen König Gustav II. Adolf (1594–1632)

1656 Im Zuge des Russisch-Schwedischen Krieges belagert die russische Armee unter Zar Alexei I. (1629–1676) erfolglos Riga.

1700–1721 Im Großen Nordischen Krieg kämpft eine Allianz aus Russland, Sachsen-Polen und Dänemark-Norwegen gegen Schweden um die Vorherrschaft im Ostseeraum.

1709 Überschwemmung in Riga: Während das Eis am Oberlauf der Düna bricht, bleibt der Unterlauf gefroren. Die Düna bricht sich zwei neue Wege und überflutet dabei große Teile der Stadt.

1710 Riga fällt an Russland.

1857–1863 Durch die Beseitigung der Festungsanlagen um Rigas Altstadt wird die Voraussetzung für den Boulevardring (s. S. 11) am Stadtkanal geschaffen.

Um 1867 Rigas Einwohnerzahl übersteigt die 100.000. In den Folgejahren explodiert die Bevölkerungszahl durch Industrialisierung und Zuzug vom Land weiter und steigt bis zum Ersten Weltkrieg auf über eine halbe Million.

1873 In Riga findet das erste lettische Sängerfest statt (s. Exkurs S. 62).

1891 Russisch löst Deutsch als offizielle Amtssprache in Riga ab.

1899 In der Audeju iela 7 wird Rigas erstes Jugendstilgebäude errichtet. In den Jahren bis zum Ersten Weltkrieg prägt der Jugendstil das Gesicht Rigas. Bis heute sind etwa 800 Jugendstilbauten erhalten (s. S. 46).

1917 Im September nehmen deutsche Truppen die Stadt ein.

1918 Ende des Ersten Weltkriegs. Am 18. November 1918 erklärt sich Lettland für unabhängig.

1919 Im Januar erobern die bolschewistischen Roten Lettischen Schützen Riga. Im Frühjahr kommt es in Riga zur Bildung einer von den Deutschbalten unterstützten Regierung unter Andrievs Niedra (1871–1942). Nachdem im Juni estnisch-lettische Verbände in der Schlacht von Wenden die deutsche Landeswehr besiegen, geben die Deutschbalten ihren Widerstand gegen die lettische Republik auf.

1920 Im Frieden von Riga erkennt die Sowjetunion die Unabhängigkeit Lettlands an.

1922 Lettland gibt sich eine Verfassung.

1934 Ministerpräsident Kārlis Ulmanis (1877–1942) löst das Parlament auf und errichtet eine autoritäre Herrschaft.

1935 Fertigstellung des Rigaer Freiheitsdenkmals ㉗

022 rg, Abb.: lk

▷ *Die Bremer Stadtmusikanten: ein Geschenk von Rigas deutscher Partnerstadt Bremen*

1939 Im geheimen Zusatzprotokoll zum Hitler-Stalin-Pakt wird Lettland der sowjetischen Interessensphäre zugeschlagen. Unter der Losung „Heim ins Reich" werden anschließend Zehntausende Deutschbalten umgesiedelt. Damit endet ihre 750-jährige Geschichte in der Region (s. Exkurs rechts).

1940 Am 17. Juni besetzt die Rote Armee Lettland. Unter dem Druck der Besatzer erklärt Lettland seinen Beitritt zur Sowjetunion. In der Folge werden rund 35.000 Menschen nach Sibirien deportiert.

1941 Deutscher Überfall auf die Sowjetunion am 22. Juni. Anfang Juli nehmen die Deutschen Riga ein. Ende Oktober wird in der Hauptstadt ein Getto für die jüdische Bevölkerung eingerichtet. Im November und Dezember wird der Großteil der rund 30.000 Einwohner des Gettos in Rumbula bei Riga ermordet. Damit soll im Getto Platz für Juden aus Deutschland geschaffen werden.

1943 Die Besatzer errichten das Konzentrationslager Riga-Kaiserwald. Das Getto wird aufgelöst.

1944 Die Rote Armee erobert Riga. Die Altstadt wird bei den Kämpfen schwer beschädigt. Tausende Letten fliehen nach Westen.

1949 Erneute Deportationswelle, rund 60.000 Menschen werden nach Sibirien verschleppt.

1989 Eine Menschenkette mit mehr als einer Million Teilnehmern vom litauischen Vilnius über Riga bis ins estnische Tallinn erinnert an die Unterzeichnung des Hitler-Stalin-Paktes vor 60 Jahren und demonstriert so für die Unabhängigkeit der drei baltischen Staaten von der Sowjetunion. Weil auf den vielen Demonstrationen der baltischen Länder häufig nationale Volkslieder gesungen wurden, ging sie als „Singende Revolution" in die Geschichte ein.

4. Mai 1990 Lettland erklärt seine Unabhängigkeit.

1991 Barrikaden in Riga (s. Exkurs S. 35): Im Januar sterben fünf Menschen bei Angriffen sowjetischer Truppen. Am 21. August erkennt die Sowjetunion die Unabhängigkeit Lettlands an.

1993 Eine neue Verfassung wird verabschiedet.

1997 Die UNESCO nimmt das gesamte Zentrum Rigas in die Liste des Weltkulturerbes auf.

Die Deutschbalten in Riga

Im Verlauf von 750 Jahren prägten Deutschbalten maßgeblich die Geschicke Rigas. Von der Gründung der Stadt im Jahr 1201 durch Bischof Albert bis zu der von Hitler und Stalin beschlossenen Umsiedlung im Herbst 1939 gehörten sie zur **Oberschicht der Ostseemetropole.** *Wie kam es zu dieser Vorherrschaft der Deutschbalten am östlichen Ufer der Ostsee?*

Es war in der zweiten Hälfte des 12. Jahrhunderts, als die ersten **Kaufleute aus Deutschland** *zum Handeln ins Baltikum kamen und dort Niederlassungen gründeten. Mit ihnen gelangten* **christliche Missionare** *ins Land, um die „Heiden" im Osten zu bekehren. Im Jahr 1201 gründete der Bremer Bischof Albert am Fluss Düna (Daugava) die Stadt Riga. Dem von ihm eingerichteten* **deutschen Ritterorden der Schwertbrüder** *oblag von nun an die Verteidigung der Stadt. Zugleich eroberten die Schwertbrüder - und später der* **Deutsche Orden** *- weitere noch „heidnische" Gebiete in Livland, dem heutigen Lettland und Estland. Städtisches Bürgertum, katholischer Klerus und Ordensritter bestimmten über drei Jahrhunderte das Leben in Riga und stritten um die Vorherrschaft über die Stadt.*

2004 Lettland tritt im Zuge der EU-Ostererweiterung der Europäischen Union bei.

2013 Im Juni richtet ein Brand verheerende Schäden im Rigaer Schloss ㉑ an. Im November stürzt ein Einkaufszentrum in Riga ein. 54 Menschen kommen ums Leben.

2014 Lettland führt den Euro ein, der die bisherige Währung Lats nach gut 20 Jahren ablöst. Riga ist für ein Jahr Kulturhauptstadt Europas. Im August wird die neue Nationalbibliothek eröffnet.

2015 Mit der Fertigstellung der Z-Towers [ah] am linken Dünaufer hat Riga ein neues höchstes Gebäude: Der größere der beiden Türme erhebt sich 135 Meter über die Stadt.

2016 Das Riga-Festival im Sommer steht im Zeichen des 815-jährigen Stadtjubiläums.

Seit Anbeginn lebte Riga vom Handel. Die Stadt wurde schnell zu einer festen Größe in der **Hanse,** *jenem den Nord- und Ostseeraum umfassenden Handelsbund. Aus Deutschland zogen im 13. und 14. Jahrhundert immer mehr* **Kaufleute und Handwerker** *in die Stadt, Hilfstätigkeiten wurden dagegen zumeist von Letten oder Liven ausgeübt. Andererseits stellte Riga auch einen Zufluchtsort für Leibeigene von außerhalb dar, die sich von der Stadt ein Leben in Freiheit versprachen. Gut dreihundert Jahre nach ihrer Gründung lebten etwa 12.000 Menschen in Riga, von denen erheblich mehr als die Hälfte Deutsche waren. Auf dem Land hingegen beschränkte sich die dominante Rolle der Deutschen auf die* **adlige bzw. kirchliche Oberschicht.** *Denn Bauern aus Deutschland siedelten sich im Baltikum kaum an.*

Im 16. Jahrhundert verlor die katholische Kirche im Zuge der **Reformation** *ihre Macht und auch die* **Herrschaft des Deutschen Ordens zerfiel.** *In den folgenden Jahrhunderten kämpfen die Königreiche Polen-Litauen, Schweden und das russische Zarenreich um die Vorherrschaft im Baltikum. Riga wurde immer wieder von fremden Mächten erobert, das deutsche Bürgertum in der Stadt konnte aber dessen ungeachtet seine Vormachtstellung bewahren.* **Ende des 18. Jahrhunderts** *strömten sogar viele* **Akademiker und Theologen** *nach Riga, die das geistige Leben der Stadt bereichern. Unter ihnen war auch der junge Philosoph* **Johann Gottfried Herder.**

Mit dem erwachenden Nationalbewusstsein im 19. Jahrhundert begann der langsame Niedergang der Deutschbalten in Riga. Ab Mitte des Jahrhunderts formierte sich eine **lettische Nationalbewegung,** *die sich auf mehr und mehr Letten stützen konnte, die vom Lande in die Stadt zogen. Ende des Jahrhunderts wurde* **Deutsch erstmals als offizielle Amtssprache abgelöst** *und durch Russisch, die Sprache des Zarenreiches, ersetzt. Nach dem Ersten Weltkrieg und der ersten lettischen Unabhängigkeit wurde Lettisch zur Amtssprache. Die Deutschbalten hatten ihre führende Stellung in der Gesellschaft verloren, noch aber stellten sie eine beachtliche Minderheit in der Stadt dar.*

Auf Beschluss von Hitler und Stalin wurden die im Baltikum verbliebenen Deutschbalten in Herbst 1939 unter der Losung **„Heim ins Reich"** *umgesiedelt. Damit endete die mehr als 700-jährige Geschichte der Deutschbalten in Riga.*

023rg Abb.: mb

Leben in der Stadt

Riga ist die pulsierende Metropole Lettlands. Mit ihren gut 640.000 Einwohnern ist sie die größte Stadt im Baltikum und nach St. Petersburg und Stockholm die drittgrößte Großstadt im gesamten Ostseeraum. Riga ist auch das politische, kulturelle und wirtschaftliche Herz Lettlands. Sprachlich ist die Stadt aber noch immer aufgeteilt zwischen den Bewohnern mit lettischer und denen mit russischer Muttersprache. In den Sommermonaten allerdings, wenn viele Einheimische aufs Land oder ans Meer fahren, prägen ausländische Gäste das Stadtbild und zu dem üblichen Rigaer Sprachmix gesellen sich viele andere Sprachen, vor allem Deutsch und Englisch.

Riga ist die Hauptstadt Lettlands, in der **jeder dritte Einwohner des Landes** lebt. Die Menschen, die hier leben, sind urban, gebildet und weltoffen. Sie sind sich des Unterschieds zum Rest des Landes bewusst, der eher ländlich geprägt ist und ihnen als provinziell gilt. In Daugavpils (Dünaburg), der zweitgrößten Stadt Lettlands, leben mehr als sechsmal weniger Menschen als in Riga.

Und trotzdem **verliert** die lettische Hauptstadt wie auch ganz Lettland seit der Unabhängigkeit 1991 **kontinuierlich an Einwohnern.** Nach dem Ende der Sowjetunion gingen viele zurück nach Russland, heute sucht die junge Generation Arbeit im Westen Europas. Zudem erblicken viel zu wenig junge Rigaer das Licht der Welt. Mehr als eine Viertelmillion Einwohner hat Riga in den vergangenen 25 Jahren verloren.

⌂ *Beliebte Freizeitbeschäftigung: passionierte Schachspieler im Wöhrmannschen Garten* **31**

Rigaer und ihre Gäste

Gleichwohl prosperiert das Leben in Riga. Vor allem in den **Sommermonaten,** wenn die Nächte kurz sind, erfüllen junge Rigaer die vielen Bars, Klubs und Kneipen in der Altstadt mit Leben. In den angesagten Nachtklubs und Galerien der Neustadt treffen sich die Reichen, Schönen und Kreativen der Stadt. Zu ihnen gesellt sich eine jährlich beachtlich wachsende Zahl an ausländischen Touristen. Im **Kulturhauptstadtjahr 2014** konnte Riga eine Rekordzahl von mehr als zwei Millionen Gästen vor allem aus Deutschland, den skandinavischen Ländern und Russland begrüßen.

Wenn die dunklen, kalten und regnerischen Tage des Jahres vorbei sind, herrscht in der Rigaer Innenstadt eine gelassene Atmosphäre, ein Flair zum Entspannen am Tage und Partystimmung am Abend. Touristen sind in Riga überall herzlich willkommen, schließlich lebt in der Altstadt fast jeder von ihnen. Ein negatives Klischee eilt ihnen allerdings voraus: Viele Einheimische meinen, dass die ausländischen Besucher sich oft unangemessen kleiden. Denn Letten ziehen sich auffällig schick an, besonders wenn sie abends ausgehen. Das erwarten sie eigentlich auch von ihren Gästen. Wenn zudem alkoholisierte Touristengruppen durch die Altstadt ziehen, hinterlässt das bei den freundlichen Rigaern einen faden Nachgeschmack.

Riga als Wirtschaftsmetropole

Riga ist aber nicht nur die Hochburg, die vom Tourismus lebt, sondern auch das uneingeschränkte **Zentrum der lettischen Wirtschaft.** In der Hauptstadtregion, wo die Wirt-schaftskraft mehr als doppelt so hoch ist wie im Rest des Landes, werden mehr als die Hälfte aller lettischen Güter produziert und Dienstleistungen erbracht.

Seit der Jahrtausendwende galt Lettland als „baltischer Tiger" mit einer stetig wachsenden Wirtschaft. Der intensive Handel mit den Ostseeanrainern, der Transport von Waren und der Export von Holz brachten Lettland und der Hauptstadt Riga steigenden Wohlstand. Und in der sicheren Annahme, dass diese Entwicklung immer so weitergehen würde, finanzierten die Letten ihre Immobilien und den Konsum teurer Waren aus dem Ausland mit Krediten.

Dann setzte 2008 die **Wirtschafts- und Finanzkrise** ein. Um den staatlichen Bankrott zu verhindern, lieh sich Lettland Geld beim Internationalen Währungsfond und der Europäischen Union und unterwarf sich dem Spardiktat der Geldgeber. Da Lettland zudem stark vom Außenhandel abhängig ist, zeitigte die weltweite Wirtschaftskrise gerade im Baltikum fatale Folgen.

Allein 2009 **schrumpfte die Wirtschaft** um fast 18 Prozent, so stark wie in keinem anderen Land in der Europäischen Union. Die **Arbeitslosenrate** schnellte nach oben, Löhne wurden um bis zu 40 Prozent gesenkt, Sozialleistungen gekürzt und die Mehrwertsteuer auf 22 Prozent angehoben. Bei alledem erging es Riga aber immer noch etwas besser als dem Rest des Landes.

Erstaunlicherweise ertrugen die Letten die Belastungen fast stumm. Inzwischen wächst die Wirtschaft zwar wieder, doch hat das BIP 2016 immer noch nicht das Vorkrisenniveau erreicht, während am Horizont bereits wieder Zeichen für eine stagnierende Entwicklung auszumachen sind.

Als Besucher in Riga merkt man bei schönem Sommerwetter wenig von den schweren Jahren, die hinter Lettland liegen. Andererseits hält die **Auswanderung** aus Lettland an. Die Kassen sind knapp, wodurch sich **Investitionsprojekte verschieben.** Aus Mangel an Geld ist daher immer wieder Kreativität gefragt.

Letten und Russen

Riga ist zwar die Hauptstadt Lettlands, aber die **Letten** sind in Riga mit rund 46 Prozent der Bevölkerung in der **Unterzahl.** Gut die Hälfte der Einwohner sind **Russen, Ukrainer, Weißrussen oder Angehörige anderer Minderheiten.** Denn vor allem in der Sowjetzeit wurden viele Menschen aus anderen Sowjetrepubliken im Baltikum angesiedelt, um die dortige Industrialisierung voranzutreiben. Das Zusammenleben von Russen und Letten funktioniert im Alltag relativ reibungslos, im politischen Leben allerdings kam es in der Vergangenheit des Öfteren zu Konflikten.

Zum größten Streitpunkt gehört die **Frage der Staatsbürgerschaft.** Nach der Unabhängigkeit Lettlands 1991 wurden zunächst nur diejenigen Menschen und ihre Nachfahren zu lettischen Staatsbürgern, die bereits vor der sowjetischen Besatzung 1939 Staatsangehörige Lettlands waren. Etwa 600.000 Einwohner Lettlands blieben zunächst staatenlos.

In Lettland geborene Russen und Zugezogene können seit 1998 die lettische Staatsbürgerschaft bekommen, wenn sie eine Prüfung in Lettisch sowie zur Geschichte und Politik Lettlands bestehen. Heute leben von den knapp zwei Millionen Einwohnern des Landes noch immer **über 250.000 Menschen als Staatenlose** in Lettland. Sie haben somit keine Möglichkeit, an Wahlen teilzunehmen.

Rigaer Sprachgewirr

Lettisch ist die **einzige Amtssprache** in Riga. Trotzdem hört man in den Straßen der baltischen Metropole neben Lettisch oft auch Russisch und manchmal Englisch oder sogar Deutsch. Und eine Mehrheit der Rigaer gibt nicht Lettisch, sondern Russisch als Muttersprache an. Dass trotzdem fast alle Straßenschilder in der Stadt auf Lettisch gedruckt sind, hängt mit der recht **restriktiven Sprachgesetzgebung** in Lettland zusammen. Während in der Sowjetzeit Russisch die alles dominierende Sprache war, sollte nach der Unabhängigkeit das Lettische gestärkt und als Umgangssprache im öffentlichen Raum durchgesetzt werden.

Obwohl Lettisch nun die offizielle Verkehrssprache insbesondere im Zentrum Rigas ist, sprechen noch immer viele Menschen sowohl **Lettisch als auch Russisch.** Vor allem ältere Letten beherrschen Russisch als Zweitsprache.

Unter den **Jugendlichen in Riga** sprechen dagegen fast alle Lettisch, was einer strikten, auf das Erlernen des Lettischen ausgerichteten Schulpolitik zu verdanken ist. Inzwischen zeigt diese **Tendenz zum Lettischen** jedoch unerwartete Folgen: Da Jugendliche mit russischer Muttersprache in der Regel auch sehr gut Lettisch sprechen, Jugendliche mit lettischer Muttersprache aber nur noch selten Russisch lernen, haben letztere auf dem umkämpften Arbeitsmarkt in Riga gravierende Nachteile. Denn oft wird von den Arbeitgebern neben Lettisch und Englisch vermehrt auch Russisch als Sprache verlangt.

Politik in Riga

Seit 2009 regiert mit dem Journalisten **Nils Ušakovs als Bürgermeister** das sozialdemokratische Parteienbündnis Saskaņas Centrs („Zentrum der Harmonie") die Stadt Riga. Er tritt vor allem für die Interessen der russischsprachigen Bevölkerung ein. Inzwischen genießt der bei seiner Wahl gerade einmal 33-jährige Ušakovs aber das Vertrauen eines Großteils der Einwohner Rigas. Zu Irritationen führen allerdings des Öfteren die engen Kontakte seiner Partei mit der Partei des derzeitigen russischen Präsidenten Putin „Einiges Russland". Denn

Russland ist vielen Letten aufgrund der langjährigen Besatzungszeit immer noch äußerst suspekt.

Das Interesse vieler in Riga lebender russischsprachiger Einwohner an Russland und die häufig anzutreffende Abneigung der Letten gegen den großen Nachbarn führt auch zur Existenz von **Parallelgesellschaften in der Stadt**, insbesondere was die Informationsbeschaffung über Fernsehen und Zeitungen betrifft. Während Letten meist nur lettische Zeitungen kaufen, bevorzugen Russen oft russischsprachige Blätter und gucken Fernsehen aus Russland. In jüngster Zeit lassen sich allerdings zunehmend oppositionelle Journalisten aus Russland in Riga nieder, um von dort über das Internet kritischen Journalismus betreiben zu können.

Wohin mit dem Platz?

Gesprächsfetzen in verschiedenen Sprachen, Straßenmusik, Menschengewirr: Auf den ersten Blick wirkt Riga wie eine außerordentlich lebendige Metropole. Doch die nackten statistischen Zahlen sprechen eine andere Sprache: **Lettlands Hauptstadt schrumpft**. Mit mehr als 900.000 Einwohnern zählte Riga Ende der 1980er-Jahre beinahe zu den Millionenstädten, heute liegt die Bevölkerungszahl nur noch bei gut 640.000. Der Trend hat sich zwar etwas verlangsamt, hält aber an: In den Jahren 2010 bis 2015 etwa sank die Einwohnerzahl im Durchschnitt jährlich um über 6000 Personen.

Der geübte Blick sieht die Zeichen der Abwanderung auch im **Stadtbild**. An den Rändern der Altstadt etwa, wo mangels Nachfrage Baudenkmäler dem Verfall preisgegeben sind,

◻ *Musikerin in Rigas historischer Altstadt*

oder in der dunklen Jahreszeit, wenn plötzlich sichtbar wird, dass in ganzen Mehrfamilienhäusern kein einziges Fenster erleuchtet ist. Riga befindet sich damit in der gleichen Situation wie das gesamte Land, das 2014 erstmals die Schwelle von zwei Millionen Einwohnern unterschritt. Die Ursachen sind in der **niedrigen Geburtenrate** ebenso zu suchen wie in der anhaltenden **Arbeitsmigration** in den Westen. Ausnahmen sind lediglich einige Landkreise vor den Toren Rigas, die vom Trend zum Eigenheim im Grünen profitieren, die Innenstadt so aber weiter ausbluten lassen.

Auch wenn der Bevölkerungsrückgang bereits seit einem Vierteljahrhundert anhält, ist erst in jüngerer Zeit eine Debatte um die **Nutzung brachliegender Flächen und leerstehender Immobilien** entstanden. Die Initiative „**Free Riga**" bemüht sich, aus der Not eine Tugend zu machen und den freiwerdenden Raum als besonderen Reichtum Rigas und seiner Bewohner zu begreifen. Die Aktivisten tragen Angaben zu leerstehenden Gebäuden zusammen, um ihn einer kreativen Zwischennutzung zuzuführen. Anders als Hausbesetzer in westlichen Ländern setzen sie dabei aber eher auf eine Kooperation mit Immobilienbesitzern, die bei unbewohnten Gebäuden höhere Abgaben an den Staat zahlen müssen. Auf diese Weise sind in den vergangenen Jahren in Riga mehrere **neue Zentren der Kreativkultur** entstanden – leider oft aber auch nach einer Saison wieder verschwunden.

Wer durch im Dornröschenschlaf liegende Straßenzüge der Moskauer Vorstadt (s. S. 48) streift, der spürt dort jenen Charme, der in den vergangenen Jahren junge Menschen in großer Zahl in Städte wie Leipzig oder Berlin mit ihrem vergleichsweise günstigen Wohnraum ziehen ließ. Auch Riga, „arm, aber sexy", hätte das **Potenzial**, wieder zum Sehnsuchtsort und zur Einwanderungsstadt zu werden – ob dieses Potenzial genutzt wird, steht aber in den Sternen. Wenn die Rede auf die mögliche Aufnahme von **Flüchtlingen** kommt, sind die Reaktionen in großen Teilen der Bevölkerung verhalten bis abweisend.

Eine kleine **Einwanderungsbewegung** ist in den vergangenen Jahren dennoch zu verzeichnen, zahlenmäßig nicht bedeutend, aber politisch wichtig. Zunehmend zieht es **russische Oppositionelle, Journalisten**, aber auch **Geschäftsleute** ins Baltikum und hier besonders nach Riga. Einige verlegen ihren Lebensmittelpunkt in die Stadt, die bereits zu sowjetischen Zeiten beliebter Urlaubsort der Intelligenzija war. Andere erwerben Immobilien im Seebad Jūrmala, die ihnen nach lettischem Recht ab einem bestimmten Kaufwert eine Aufenthaltserlaubnis in der EU sichern. Und so sind die **Z-Towers** [ah], Rigas neues höchstes Gebäudeensemble am linken Dünauer, wahrlich nicht aus Mangel an verfügbarem Wohnraum in die Höhe gezogen worden. Die auch in Russland beworbenen Luxusapartments zielen auf den Wohngeschmack jener Käuferschicht, die derzeit viel Geld nach Riga bringt.

PRAKTISCHE REISETIPPS

Mežaparks

1901

An- und Rückreise

Sowohl Lettland als auch die Transitländer Litauen und Polen gehören dem Schengenraum an. Man kann also nach Riga von Deutschland, Österreich oder der Schweiz aus ohne Grenzkontrollen reisen – allerdings muss weiterhin ein **Reisepass oder Personalausweis** mitgeführt werden.

Reisen **Kinder nur mit einem Elternteil**, ist in vielen Ländern bei der Einreise eine Einverständniserklärung des anderen Elternteils erforderlich. Detailinfos siehe Website des Auswärtigen Amtes.

Mit dem Auto

Mit dem Auto wird vorwiegend nach Riga kommen, wer eine **Rundreise durch das Baltikum** plant. Wer das Fahrzeug vor Ort benötigt, aber sich die lange Anfahrt (rund 1200 Kilometer ab Berlin) sparen möchte, kann sein Auto von Lübeck aus auf der **Fähre** (s. S. 112) mitnehmen. Die **polnische Autobahn A2** ist von der deutschen Grenze bis nach Warschau inzwischen gut ausgebaut, allerdings auch mautpflichtig. Schlechter ist es um den folgenden Abschnitt über Augustów und Suwałki bis zur litauischen Grenze bestellt, der über Landstraßen verläuft. Autobahnen nach deutschem Verständnis gibt es auch in Litauen und Lettland nicht, dennoch wird die Strecke nach dem Grenzübertritt besser.

◁ *Vorseite: Mit der historischen Straßenbahn in den Mežaparks* ⑱

▷ *Willkommen in Riga: der Hauptbahnhof am Rande der Altstadt*

Mit dem Flugzeug

Für alle, die keine Baltikum-Rundfahrt planen, sondern eine Städtereise nach Riga unternehmen, ist das Flugzeug konkurrenzlos: Bei allen anderen Verkehrsmitteln liegt die minimale Fahrtzeit von Deutschland aus bei knapp einem Tag. Mit dem Flugzeug ist man in wenigen Stunden in Riga und der Preis ist bei rechtzeitiger Buchung kaum höher als bei anderen Verkehrsmitteln.

Rigas Flughafen (Kürzel RIX) dient als Drehkreuz für den gesamten baltischen Raum, dementsprechend ist das Angebot an Verbindungen in die deutschsprachigen Länder recht gut. Die **lettische Fluggesellschaft Air Baltic** fliegt von Riga aus Berlin, Düsseldorf, Frankfurt, Hamburg, München, Wien und Zürich an. Direktverbindungen gibt es aus verschiedenen Städten zudem auch mit Lufthansa und den **Billigfliegern** Ryanair und Wizzair.

Der Internationale Flughafen Riga liegt ungefähr 14 Kilometer südwestlich des Stadtzentrums:

● **99 Starptautiskā lidosta „Rīga"** (Internationaler Flughafen Riga), www.riga-airport.com, Tel. 1187 (aus Lettland, gebührenpflichtig), 00371 29311187 (aus dem Ausland)

Bus 22 und **Minibus 222** verkehren bei rund einer halben Stunde Fahrtzeit zum normalen Tarif (s. S. 127) zwischen **Flughafen (Lidosta Rīga)** und **Hauptbahnhof** (s. S. 111). Der beste Ein- und Ausstieg in der Altstadt ist die Haltestelle „13. Janvāra iela" an ihrem südlichen Rand. Eine **Taxifahrt** vom Flughafen in den Stadtkern kostet rund 15 Euro, es empfiehlt sich aber, vor dem Einsteigen nach dem Preis zu fragen.

054rg Abb.: fo © Valerijs Kostreckis

Mit Bus und Bahn

Seit mehr als zehn Jahren träumen die Politiker im Baltikum den Traum vom Bahnprojekt „Rail Baltica": eine Zugstrecke, die eines schönen Tages Berlin über Warschau mit den baltischen Städten Kaunas, Riga und Tallinn verbinden soll. Derzeit ist der Baubeginn für 2020 geplant, 2025 könnte immerhin der Anschluss an das litauische Kaunas an das litauische Kaunas stehen. Mit einer Fertigstellung der Strecke bis Warschau ist aber nicht vor 2030 zu rechnen.

Hartgesottene Bahnfreunde können sich zwar mit mehrfachem Umsteigen und weit mehr als einem Tag Reisezeit eine Verbindung nach Riga zusammenstellen, für den normalen Urlauber scheidet dieses Reisemittel jedoch aus. Auch innerhalb von Lettland haben Busverbindungen inzwischen der Eisenbahn den Rang abgelaufen. Zu ausgewählten Zielen in

Lettland, Litauen und Estland bietet Air Baltic zusammen mit dem Flugticket kostenlose Busreisen an.

Der Hauptbahnhof liegt zwischen Neustadt und Moskauer Vorstadt und ist für Riga-Touristen insbesondere für Reisen nach Jūrmala 🐼 wichtig.

●100 [G5] Centrālā Stacija,
   Stacijas laukums

Linienbusse fahren von bzw. über Berlin nach Riga. Die Fahrt dauert rund 21 Stunden und geht entsprechend in die Knochen. Fahrkarten lassen sich z. B. bei den folgenden Anbietern online buchen:

❯ Ecolines: www.ecolines.net
❯ Eurolines: www.eurolines.de
❯ Simple Express: www.simpleexpress.eu

Tickets für eine Weiterreise im Baltikum gibt es direkt am Busbahnhof:

●101 [F6] Rīgas starptautiskā autoosta,
   Prāgas iela 1, www.autoosta.lv

Mit der Fähre

Gegenwärtig gibt es leider **keine direkte Fährverbindung von Deutschland nach Riga.** Lediglich von **Stockholm** aus wird die Stadt alle zwei Tage vom estnischen Fährunternehmen Tallink Silja angesteuert.

Von Lübeck-Travemünde läuft allerdings zweimal wöchentlich ein Schiff der Reederei Stena Line nach **Liepāja** und einmal in der Woche nach **Ventspils** aus. Die bei ruhigem Wetter sehr entspannende Überfahrt dauert zwischen 26 und 29 Stunden.

Wer die Fähre samt **Auto** nutzt, benötigt für die Weiterfahrt nach Riga aus Ventspils etwa zweieinhalb, aus Liepāja etwa dreieinhalb Stunden. Wer ohne Auto reist, hat unter Umständen Probleme, mit Linienbussen noch nach Riga zu kommen. Daher sollte eine Übernachtung eingeplant werden – oder man bittet einen der vielen Fernfahrer, einen nach Riga mitzunehmen.

❯ **Stena Line:** www.stenaline.de, Tel. 01805 916666 (zurzeit 14 Ct./Min. aus dem dt. Festnetz, aus dem dt. Mobilfunknetz max. 42 Ct./Min.) oder +49 (0) 431 9099 (nur für Anrufe nicht aus Deutschland)
❯ **Tallink Silja:** www.tallinksilja.de, Tel. +49 (0) 40 547541222

Autofahren

Für eine Besichtigung der wichtigsten Sehenswürdigkeiten in Alt- und Neustadt ist das Auto **eher ein Hindernis** als eine Hilfe. Denn in der Altstadt sind viele Straßen **verkehrsberuhigt** und nur eingeschränkt mit dem Auto befahrbar und im ganzen Stadtzentrum gibt es **kaum kostenfreie Parkplätze.**

Verkehrsregeln

In Lettland ist ebenso wie in den Transitländern Litauen und Polen das ganze Jahr über auch tagsüber **Abblendlicht** vorgeschrieben. Die **Promillegrenze** liegt bei 0,5. Innerhalb von Ortschaften liegt die erlaubte **Höchstgeschwindigkeit** bei 50 km/h, außerorts bei 90 km/h und auf Autobahnen bei 110 km/h. Das Mitführen der **Grünen Versicherungskarte** ist Pflicht. Eine **Warnweste** muss man ebenfalls dabei haben. Auch Fahrradfahrer, die nachts oder bei schlechter Sicht unterwegs sind, müssen eine Warnweste tragen.

Tanken

Das lettische Tankstellennetz ist gut ausgebaut. Meistens sind die Tankstellen rund um die Uhr geöffnet. Die **Benzinpreise** liegen etwas unter denen in Deutschland.

Parken

Aufgrund der Diebstahlgefahr empfehlen sich **bewachte Parkplätze.** Bei der Hotelbuchung sollte angefragt werden, ob ein Parkplatz im Preis inbegriffen ist, einen Aufpreis kostet oder ein überwachter Parkplatz in der Nähe vorhanden ist.

Der Anbieter **EuroPark** (www.europark.lv) betreibt ein dichtes Netz an Parkplätzen in der Rigaer Innenstadt, beispielsweise hier:

🅿**102** [F3] **Parkplatz Brīvības iela,** Brīvības iela 35, 3 €/Stunde, Tagesticket 8–20 Uhr: 10 €, Nachtticket 20–8 Uhr: 3 €
🅿**103** [D4] **Parkhaus Jēkaba Arkāde,** Zigfrida Annas Meierovica bulvāris 8, in der Tiefgarage, tagsüber 3 €/Stunde, 24 Stunden kosten 15 €

Das Parken auf **öffentlichen Parkplätzen** in Rigas Zentrum ist gebührenpflichtig. Dabei gibt es verschiedene Zonen: Am teuersten ist das Parken in der Altstadt mit 5 € für die erste und 8 € für jede weitere Stunde, um die Altstadt herum werden 2,50 € bzw. 3 € fällig. Eine Übersichtskarte mit den Parkzonen gibt es im Internet unter www.rigassatiksme.lv/en/services/parking-services.

Unfall und Pannen

Bei Unfällen mit einem Personenschaden muss die Polizei informiert werden. Im Falle einer Autopanne setzt man sich am besten mit dem **lettischen Automobilklub** LAMB oder dem Autoklub seines Landes in Verbindung.

> **Latvijas automoto biedrība (LAMB)**, www.lamb.lv, Tel. 1888
> **ADAC**, www.adac.de, Tel. +49 (0) 89222222
> **ÖAMTC**, www.oeamtc.at, Tel. +43 (0) 12512000
> **ARBÖ**, www.arboe.at, Tel. +43 (0) 8956060
> **TCS**, www.tcs.ch, Tel. +41 (0) 224172220

Mietwagen

Alle großen internationalen Autoverleiher sind auch in Riga vertreten. Neben **Ausleihstationen am Flughafen** gibt es auch in der **Rigaer Innenstadt** Filialen, zum Beispiel von:
- **104** [E5] **Hertz,** Aspazijas bulvāris 24, www.hertz.lv, Tel. 29432769, Öffnungszeiten: Mo.–Fr. 8–19, Sa. 9–19, So. 9–16 Uhr
- **105** [F3] **Sixt,** Elizabetes iela 55, www.sixt.de, Tel. 67207121, Öffnungszeiten: Mo.–Fr. 8–12 und 14–18 Uhr

Barrierefreies Reisen

Riga ist eine jahrhundertealte Stadt und barrierefreies Reisen ist dort noch **weitgehend ein Fremdwort.** Entsprechend schwer haben es Rollstuhlfahrer und Menschen mit eingeschränkter Mobilität. Gepflasterte Straßen und Gehwege schlängeln sich durch die Altstadt. Cafés, Restaurants, Geschäfte und Museen befinden sich meist in uralten Bürger- oder Lagerhäusern, deren Eingang über eine Schwelle oder über eine Treppe in den Keller führt. Busse und Straßenbahnen des öffentlichen Nahverkehrs haben keinen ebenerdigen Zugang. Und leider ist auch ein großer Teil der Sehenswürdigkeiten nicht barrierefrei zugänglich.

Dennoch gibt es einige wenige Angebote für Menschen mit Behinderung. So sind in den großen Hotels in Riga **behindertengerechte Zimmer** vorhanden. Die Touristeninformationen der Stadt (s. S. 117), die auch sonst gerne bei der Reiseplanung von Menschen mit eingeschränkter Mobilität behilflich sind, können **Bustransporte für Rollstuhlfahrer** vermitteln. Informationen über die Zugänglichkeit von Sehenswürdigkeiten und Geschäften in Riga gibt es auch bei der **Organisation Apeirons** – „Behinderte Menschen und ihre Freunde" (www.apeirons.lv).

Diplomatische Vertretungen

- **106** [F4] **Deutsche Botschaft Riga (Vācijas vēstniecība Rīgā),** Raiņa bulvāris 13, www.riga.diplo.de, Tel. 67085100, geöffnet: Mo.–Mi. 8–17, Do. 8–16.30, Fr. 8–15 Uhr. Die Konsu-

larabteilung ist Mo./Di., Do./Fr. 8.30–
11.30, Mi. 14–16 Uhr geöffnet. In Notfällen ist der Bereitschaftsdienst der
Botschaft außerhalb der Öffnungszeiten
unter Tel. 29466456 zu erreichen.

- **107** [D2] **Österreichische Botschaft
  Riga (Austrijas vēstniecība Rīgā),**
  Elizabetes iela 15, www.bmeia.gv.at/
  riga, Tel. 67216125, geöffnet: Mo.–Fr.
  8.30–16.30 Uhr, Parteienverkehr Mo.–
  Fr. 10–12 Uhr. In dringenden Notfällen
  ist der Bereitschaftsdienst der öster-
  reichischen Botschaft außerhalb der
  Öffnungszeiten unter Tel. 26455533
  erreichbar. Außerdem ist in Notfällen der
  Bürgerservice des Bundesministeriums
  für europäische und internationale Ange-
  legenheiten rund um die Uhr unter Tel.
  +43 (0)5011504411 verfügbar.
- **108** [D2] **Schweizerische Botschaft Riga
  (Šveices Konfederācijas vēstniecība
  Rīgā),** Elizabetes iela 2, www.eda.admin.
  ch/riga, Tel. 673383-51/-52/-53,
  geöffnet: Mo.–Fr. 9–11.30 Uhr. Im Notfall steht rund um die Uhr die Helpline
  EDA als zentrale Anlaufstelle für Fragen zu konsularischen Dienstleistungen
  zur Verfügung, erreichbar unter Tel. +41
  (0)800247365.

Geldfragen

Seit 2014 zahlt man auch in Lettland
mit dem **Euro.** Damit waren **Lats** und
Santims – deren Münzen mit Motiven von Lachsen, Pilzen, Brezeln und
Kiefernzapfen verziert waren – nach
gut 20 Jahren wieder Geschichte. Nur
manchmal trifft man noch auf merk-
würdig krumme Preisangaben, die
sich nach der Währungsumstellung
ergaben und noch nicht angepasst
worden sind.

Ohnehin zahlen Letten viel häufi-
ger **bargeldlos.** Wer sich damit nicht
anfreunden möchte, findet in Riga
jedoch reichlich **Bankautomaten,**
an denen sich mit **Kredit-** oder **EC-
/Maestro-Karte** Geld abheben lässt.
Die Gebühren fürs bargeldlose Zahlen oder Geldabheben legt die jeweilige Hausbank fest. Sie sind nicht so
hoch, dass man Bargeld für den gesamten Urlaub mitnehmen muss. Seit
einiger Zeit statten manche deutsche

☐ *Erinnerung an den Lats – einst
Symbol der lettischen Unabhängigkeit*

080rg Abb.: bi

Banken ihre Geldkarten mit **V Pay** aus – ein Zahlungssystem, das in einigen Geschäften und an manchen Automaten in Lettland noch nicht funktioniert (Infos unter www.vpay.de).

Lettland ist gewiss **kein Billigland.** Dennoch liegen die Preise in Rigas **Cafés, Restaurants und im öffentlichen Nahverkehr** immer noch unter dem Preisniveau anderer europäischer Städte. **Hotelzimmer** hingegen kosten nicht weniger als in deutschen Großstädten. In den **Supermärkten** liegen die Preise leicht über denen der deutschen Discounter.

Riga preiswert

Wer in Riga Urlaub macht, muss nicht viel Geld ausgeben. Hier ein paar Hinweise für einen günstigen Aufenthalt in der Stadt an der Ostsee:

> *Übernachten kann man in Riga ab 10 € in einem der inzwischen zahlreich vorhandenen Hostels (im Schlafsaal, Doppelzimmer sind etwas teurer, s. S. 125). Außerhalb der Saison gibt es auch in den großen Hotels in Riga günstige Zimmer (s. S. 125). Im sehr schönen Art Hotel Laine (s. s. 126) gibt es ein günstiges Studentenzimmer, das allen Komfort des Hotels bietet, außer dass sich Bad und WC auf dem Korridor befinden.*

> *Sympathische, junge Rigaer zeigen internationalen Gästen ihre Stadt. Treffpunkt für den englischsprachigen Stadtrundgang ist täglich 12 Uhr vor der Petrikirche **8**. Die Riga Free Tour (s. S. 124) ist zwar grundsätzlich kostenlos, man sollte den Stadtführern bei Gefallen aber ein Trinkgeld geben, denn davon leben sie.*

Informationsquellen

Infostellen zu Hause

Bibliotheken und natürlich das Internet sind heute die ersten Anlaufstellen für Informationen über Riga und Lettland – **nützliche Websites** sind im Abschnitt „Die Stadt im Internet" (s. S. 117) aufgelistet. Eine ausführliche **Liste von Reiseveranstaltern,** die mit der Bitte um Informationsmaterial angeschrieben werden können, hat das **lettische Fremdenverkehrsamt** online veröffentlicht:

> *Einen Museumstag gibt es in Riga leider nicht. Dafür verlangen einige **sehenswerte Museen** gar keinen Eintritt. In das Lettische Okkupationsmuseum **28**, das Kriegsmuseum im Pulverturm **23** oder das Rigaer Getto-Museum (s. S. 70) im Speichterviertel **41** kommt man **kostenlos bzw. gegen eine kleine Spende.***

> *Essen gehen muss in Riga nicht teuer sein. Wochentags gibt es in vielen Restaurants **Mittagsmenüs** („kompleksās pusdienas" oder „business lunch") für 3 - 7 €. Oft bekommt man zur Mittagszeit ein täglich wechselndes Hauptgericht mit Vorspeise und Getränk. Abends kann man im Selbstbedienungsbistro **XL Pelmeni** (s. S. 75) gut und günstig speisen.*

> *Einen **kostenlosen Rundblick** über Riga bietet die **27. Etage des Radisson Blu Hotels.** Fährt man mit dem Fahrstuhl noch einen Stock höher als die im 26. Stock gelegene Skyline Bar (s. S. 81), gelangt man in einen Raum, von dem aus sich ganz Riga überblicken lässt – sogar wenn die Bar noch geschlossen ist.*

Unsere Literaturtipps

> Freimane, Valentina: *Adieu, Atlantis. Erinnerungen.* Wallstein-Verlag, 2015. Valentina Freimane wurde 1922 geboren, entstammt einer großbürgerlich-jüdischen Familie, wuchs in Berlin und Paris auf und floh 1936 mit ihren Eltern vor den Nationalsozialisten in ihre Geburtsstadt Riga. Dort erlebte sie eine noch beinahe unbeschwerte Jugend und blieb vom Terror der ersten sowjetischen Besatzung weitgehend verschont. Als jedoch die Deutschen einmarschierten, versteckte sie sich – und überlebte den Holocaust, im Gegensatz zu ihrem Mann und fast allen Verwandten. Von dieser Zeit erzählt die heute in Berlin lebende Autorin in ihren eindrucksvollen Lebenserinnerungen.

> Fülberth, Andreas: *Riga. Kleine Geschichte der Stadt.* Böhlau, 2014. Wer sich für die über 800-jährige Historie Rigas interessiert, dem bietet dieses Buch eine wahre Fundgrube an Geschichten, die chronologisch von der Stadtgründung bis in die jüngste Zeit erzählt werden. Leider wird das Lesevergnügen etwas von den manchmal stark verschachtelten Sätzen getrübt.

> Kalniete, Sandra: *Mit Ballschuhen im sibirischen Schnee.* Herbig, 2005. Die ehemalige lettische Außenministerin und EU-Kommissarin Sandra Kalniete beschreibt ihre beklemmende Familiengeschichte, so wie sie viele Letten erzählen können: Ihre Eltern wurde in den Deportationswellen 1941 und 1949 nach Sibirien verschleppt, wo die Autorin 1952 das Licht der Welt erblickte. Erst 1957 durften sie nach Lett-

land zurückkehren. Mit ihrem Buch verleiht Kalniete den Grausamkeiten des Stalinismus ein Gesicht und macht die Geschichte der Deportation von Zehntausenden Letten auch in Europa bekannt. Ein Buch, das viel zum Verständnis Lettlands beiträgt (nur antiquarisch erhältlich).

> Katischonok, Jelena: *Das Haus in der Palissadnaja.* Braumüller, 2014. Aus der Perspektive eines Rigaer Hauses schildert die Autorin die Lebenswege seiner ständig wechselnden Bewohner. Chronologisch führt sie den Leser durch die Geschichte Lettlands im 20. Jahrhundert und erzählt von den Repressalien unter sowjetischer und deutscher Besatzung. Auch wenn es den Figuren etwas an Leben fehlt und sie arg schablonenhaft dargestellt sind, ist das Buch ein lohnender literarischer Ausflug in die gar nicht so weite Vergangenheit Rigas.

> Lucius, Robert von: *Drei baltische Wege. Litauen, Lettland, Estland – zerrieben und auferstanden.* Mitteldeutscher Verlag, 2011. In eindrucksvollen Reportagen erzählt der F.A.Z.-Korrespondent vom Leben in Litauen, Lettland und Estland, der Aufbruchstimmung nach 1991, von Begegnungen mit Künstlern und Politikern, den deutschen Wurzeln im Baltikum, jüdischen Spuren und den Lasten der Vergangenheit. Riga und Lettland finden in dem Buch ihren gebührenden Platz. Ein leicht zu lesendes Buch, das ein aktuelles Bild von den Menschen und ihrem Leben in den drei in Deutschland so wenig bekannten Ländern an der Ostsee zeichnet.

> Mankell, Henning: *Hunde von Riga.* Deutscher Taschenbuchver-

lag, 2010. Im Februar 1991 wird ein rotes Rettungsboot mit zwei Toten an die südschwedische Küste gespült. Kommissar Wallander nimmt die Ermittlungen auf, die ihn ins lettische Riga führen. Dort entdeckt er ein undurchsichtiges Komplott von Anhängern des alten sowjetischen Systems, die gegen die lettische Freiheitsbewegung ankämpfen, und verliert dabei fast sein Leben. Mit dem heutigen Riga hat dieser spannende Krimi des bekannten schwedischen Schriftstellers kaum mehr etwas zu tun, er schildert aber eingehend die Veränderungen in Lettland während der sich anbahnenden Unabhängigkeit von der Sowjetunion.

> Pristawkin, Anatoli: *Stilles Baltikum.* Volk und Welt, 1991. Der russische Schriftsteller Pristawkin liebte Lettland. Im Januar 1991 stand er auf den Barrikaden in Riga und appellierte im örtlichen Fernsehen an die sowjetischen Soldaten, nicht auf friedliche Zivilisten zu schießen. Sein Tagebuch erzählt von dieser Zeit, ohne in die Stereotypen von „guten Letten" und „bösen Russen" zu verfallen (nur antiquarisch erhältlich).

> Wilpert, Gero von: *Deutschbaltische Literaturgeschichte.* C. H. Beck, 2005. Von den mittelalterlichen Chroniken bis ins 20. Jh. führt der Literaturwissenschaftler seine Leser durch die deutschbaltische Literaturgeschichte. Er leitet gekonnt durch die Werke von heute oft unbekannten Autoren und eröffnet ganz nebenbei einen Einblick in das gesellschaftliche Leben der Deutschen im Baltikum. Wer sich für die Kultur der deutschsprachigen Oberschicht interessiert, dem eröffnet sich mit diesem Buch ein kleiner Schatz.

> www.latvia.travel/de/artikel/ reiseveranstalter-deutschland

Infostellen in der Stadt

Die zentrale **Rigaer Touristeninformation,** die in allen Fragen freundlich und kompetent berät und jede Menge Informationsmaterial bereithält, befindet sich im Schwarzhäupterhaus ❷ am Rathausplatz:

❶ **109** [D5] **Rigaer Touristeninformationszentrum**, Rātslaukums 6, www.liveriga. com, Tel. +371 67037900, geöffnet: Mai–Sept. tgl. 9–19 Uhr, Okt.–April tgl. 10–18 Uhr

Weitere Filialen gibt es außerdem im **Ankunftssektor E** des Rigaer Flughafens, am **Busbahnhof** sowie am **Livenplatz** ⓯.

❶ **110** [F6] **Touristeninformation am Busbahnhof**, Prāgas iela 1, www. liveriga.com, Tel. +371 67220555, geöffnet: Mai–Sept. tgl. 9–19 Uhr, Okt.–April tgl. 10–18 Uhr

❶ **111** [E5] **Touristeninformation am Livenplatz**, Kaļķu iela 16, www.liveriga. com, Tel. +371 67227444, Mai–Sept. tgl. 9–19, Okt.–April tgl. 10–18 Uhr

Die Stadt im Internet

> **www.liveriga.com:** Die offizielle Rigaer Tourismuswebsite ist ansprechend gestaltet und bietet umfangreiche Informationen über die Stadt (auch auf Deutsch).

> **www.lettland.travel:** Internetpräsenz des lettischen Fremdenverkehrsamtes mit vielen Infos zum Reiseland Lettland (auch auf Deutsch)

> **www.rigassatiksme.lv:** Informationen der Rigaer Verkehrsbetriebe, darunter Fahrpläne für einzelne Linien, gibt es auf dieser Internetseite neben Lettisch und Russisch auch auf Englisch.

Oase deutscher Kultur

Im **Goethe-Institut Riga** fühlt man sich fast wie in Deutschland. In der Bibliothek mit einer beachtlichen Auswahl deutschsprachiger Werke gibt es auch einige Reiseführer und Bücher über Lettland. Mit etwas Verspätung kann man dort deutsche Zeitungen und Zeitschriften lesen oder an den Computern im Lesesaal im Internet surfen. Von den netten Mitarbeitern kann man nicht nur einiges über Riga erfahren, sondern sie vermitteln auch Kontakte zu deutschbaltischen Initiativen oder dem Rigaer Deutschen Kulturverein.

❶114 [D4] **Goethe-Institut Riga,** Torņa iela 1 (Eingang über die Klostera iela), www.goethe.de/riga, Tel. 67508194, Bibliothek geöffnet: Di.–Do. 13–19, Fr. 11–14 Uhr, jeden ersten Sa. des Monats 11–15 Uhr

❯ www.riga-digitalis.eu: eine Fundgrube für alle, die gern in alten Kalendern, Einwohnerverzeichnissen, Büchern oder Postkarten von Riga stöbern – digital, kostenfrei und überwiegend auf Deutsch

Riga-Apps

❯ **OpenEthnoLV:** eine Tour durch das beschauliche Ethnografische Freilichtmuseum ❻⓪ mit Infos, Fotos und einer übersichtlichen Karte (kostenlos für Android und iOS)

❯ **Satiksme 3:** Rigas öffentlicher Nahverkehr im Überblick – mit Abfahrtszeiten für sämtliche Busse und Trams sowie einer Standortkarte (0,89 € für iOS)

056rg Abb.: lk

Publikationen und Medien

Kostenlose Stadtpläne sind bei den Touristeninformationen (s. S. 117) erhältlich. Die englischsprachige **Broschüre „Riga in your pocket"** enthält aktuelle Veranstaltungshinweise und Adressen. Sie steht auch zum **kostenlosen Download** unter www.inyourpocket.com/latvia/riga bereit.

Internet

Mit dem Siegeszug von Smartphones und drahtlosem Internet sind **Internetcafés** schon wieder aus dem Stadtbild verschwunden. Dafür ist Rigas Innenstadt fast flächendeckend mit **kostenfreien WLAN-Hotspots** versorgt. Neben Cafés, Restaurants und Hotels bietet Lattelecom vielerorts einen freien WLAN-Zugang.

Wer nur schnell etwas ausdrucken möchte, etwa die Bordkarte für den Rückflug, kommt in einem der **Copyshops** kostenlos ins Internet, z. B.:

@112 [G3] **Copy Expert Blaumanis,** Blaumaņa iela 11/13, www.copyexpert.lv, Tel. 67365390, geöffnet: Mo.–Fr. 7–22 Uhr

@113 [F4] **Copy Expert Merķelis,** Merķeļa iela 17/19, www.copyexpert.lv. Tel. 67221568, geöffnet: Mo.–Fr. 9–18 Uhr

🔽 *Presseauswahl in einem Kiosk*

Medizinische Versorgung

In Lettland gilt – wie überall in der EU – die **Europäische Krankenversicherungskarte** (European Health Insurance Card), mit der man im Notfall medizinische Hilfe nach lettischem Recht in Anspruch nehmen kann.

Diese Regelung ist allerdings kompliziert: Man muss sich im ersten Schritt an einen Allgemeinmediziner wenden, der **Vertragsarzt des lettischen Krankenversicherungsträgers** „Zentrum für die Abrechnung von Gesundheitsleistungen" *(Veselības norēķinu centrs)* ist.

Für eine Behandlung bei einem **Facharzt** ist in der Regel eine **Überweisung eines Allgemeinmediziners** erforderlich. Sucht man einen Facharzt ohne Überweisung auf oder wendet man sich an einen Nicht-Vertragsarzt, trägt man die **Kosten für den Arztbesuch** zunächst selbst. In diesem Fall reicht man die Rechnung später bei seiner gesetzlichen Krankenkasse in Deutschland ein. Allerdings erstattet diese nicht alle Kosten. Ein Rücktransport nach Deutschland, die in Lettland üblichen Zuzahlungen und Behandlungen durch private Ärzte und Krankenhäuser werden nicht übernommen. Deshalb wird dringend empfohlen, vor der Reise nach Lettland eine **private Auslandsreise-Krankenversicherung** abzuschließen.

Beachten sollte man, dass die medizinische Versorgung in Lettland nicht immer dem deutschen Standard entspricht. Zudem empfiehlt das Auswärtige Amt Reisenden eine **Hepatitis-A-Impfung**.

🖝**115** [df] **Veselības centrs 4 (Gesundheitszentrum 4)**, Krišjāņa Barona iela 117 (Eingang über die Brīvības iela), Tram 3, 6 bis Haltestelle „Pērnavas iela", www.vc4.lv. Informationen auf Englisch erhält man unter Tel. 67847100. Das Gesundheitszentrum 4 gehört zu den größten Privatkliniken in Lettland und ist vorbildlich ausgestattet.

🖝**116** [F2] **ARS Klinik**, Skolas iela 5, www.ars-med.lv, Tel. 67201007, Notfalltelefon: 67201003. Bei einem Unfall oder bei medizinischen Notfällen kann man sich an die ARS Klinik wenden. Zum Teil sind die Ärzte des Englischen oder Deutschen mächtig.

🖝**117** [cg] **Zobārstniecības centrs Svenata**, Brīvības iela 103–23 a, Tram 11 bis Haltestelle „Brīvības iela", www.svenata.lv, Tel. 67379889. Private Zahnklinik, die auch umfangreichere Behandlungen durchführt.

🖝**118** [E5] **Mēness aptieka**, Aspazijas 30 (Eingang über die Audēju iela), www.menessaptieka.lv, Tel. 20377476. Rund um die Uhr geöffnete **Apotheke** *(aptieka)* des Apothekennetzes Mēness am Rande der Altstadt, unweit der Nationaloper ㉕.

Mit Kindern unterwegs

Riga ist ein **familienfreundliches Reiseziel**. Die Parks in der Neustadt und am Stadtkanal ㉔ halten viele schöne **Spielplätze** bereit. Für einen Ausflug ins Grüne mit der ganzen Familie eignet sich das **Ethnografische Freilichtmuseum** ㉿ hervorragend. Und ein **Zoobesuch** ㊾ lässt sich mit einem herrlich entspannten Aufenthalt am **Badestrand** in Mežaparks ㊳ verbinden.

Nach einem Besuch in der **Moskauer Vorstadt** kann man mit den Kindern an der etwas außerhalb gelegenen Dünapromenade ㊷ Enten, Schwäne und Möwen füttern. Wer genügend Zeit mitbringt, sollte außerdem unbedingt einen Tag damit verbringen, mit der ganzen Familie am schönen **Strand von Jūrmala** 🔢 Sandburgen zu bauen. Der **Blick vom Turm der Petrikirche** ❽ ist für kleine Riga-Besucher mindestens so beeindruckend wie für große – und dank Fahrstuhl entfällt auch das anstrengende Treppensteigen.

Unter den Museen sind neben dem Ethnografischen Freilichtmuseum das **Eisenbahnmuseum** (s. S. 73) und insbesondere das **Sonnenmuseum** (s. S. 73), wo jeder Besucher seine eigene Sonne basteln darf, für Familien mit Kindern empfehlenswert. Eine besondere Freude kann man dem Nachwuchs mit einem Besuch im Rigaer **Puppentheater** bereiten:

⏱**119** [G4] **Latvijas Leļļu teātris (Lettisches Puppentheater)**, Krišjāņa Barona iela 16/18, www.lelluteatris.lv, Tel. 67285355

Einen besonderen Spaß, nicht nur für Kinder, bietet der **Līvu Aquapark in Jūrmala** 🔢, der als größtes Hallenbad in Osteuropa gilt:

🅂**120 Līvu Akvaparks (Līvu Aquapark)**, Viestura iela 24, Jūrmala, Anfahrt: mit dem Zug Richtung Jūrmala bis zur Station „Bulduri" oder mit dem Minibus vom Rigaer Hauptbahnhof Richtung Jūrmala bis zum Halt „Lielupe", www.akvaparks.lv, geöffnet: Mo.–Fr. 12–22, Sa. 11–22, So. 11–21 Uhr, geschlossen: Nov.–April Mo./Di., Eintritt: Tagesticket Erwachsene 25–30 Euro, Kinder bis 14 Jahre 19–20 Euro

Notfälle

Wie in der gesamten EU gilt auch in Lettland die **einheitliche Notrufnummer 112**. In Riga gibt es zudem eine spezielle **Touristenpolizei**, an die sich ausländische Besucher in Notfällen rund um die Uhr auf Englisch, Russisch oder Lettisch wenden können.
❭ **Touristenpolizei:** Tel. 67181818

Die **Konsulate des Heimatlandes** (s. S. 113) helfen ihren Bürgern im Notfall, zum Beispiel beim Verlust des Passes oder bei der Suche nach einem vertrauenswürdigen Arzt, Anwalt oder Dolmetscher.

Kartensperrung

Bei **Verlust der Debit-(EC-)**, Kredit- oder SIM-Karte gibt es für Kartensperrungen eine **deutsche Zentralnummer** (unbedingt vor der Reise klären, ob die eigene Bank bzw. der jeweilige Mobilfunkanbieter diesem Notrufsystem angeschlossen ist). **Aber Achtung:** Mit der telefonischen Sperrung sind die Bezahlkarten zwar für die Bezahlung/Geldabhebung mit der PIN gesperrt, nicht jedoch für das **Lastschriftverfahren mit Unterschrift**. Man sollte daher auf jeden Fall den Verlust zusätzlich **bei der Polizei zur Anzeige bringen**, um gegebenenfalls auftretende Ansprüche zurückweisen zu können.

In **Österreich** und der **Schweiz** gibt es keine zentrale Sperrnummer, daher sollten sich Besitzer einer in diesen Ländern ausgestellten Debit-(EC-) oder Kreditkarten vor der Abreise bei ihrem Kreditinstitut über den zuständigen Sperrnotruf informieren.

Generell sollte man sich immer die **wichtigsten Daten** wie Kartennummer und Ausstellungsdatum **separat notieren**, da diese unter Umständen abgefragt werden.
❭ **Deutscher Sperrnotruf:** Tel. +49 116116 oder Tel. +49 3040504050
❭ **Weitere Infos:** www.kartensicherheit.de, www.sperr-notruf.de

Öffnungszeiten

Einen gesetzlichen Ladenschluss gibt es in Lettland nicht. **Geschäfte** sind in der Regel Mo.–Fr. 9–19, Sa. bis 17 Uhr geöffnet. Am Sonntag sind viele Geschäfte geschlossen. In **Supermärkten** kann man täglich 8–22 Uhr einkaufen, einige öffnen am Sonntag etwas später.

Banken sind werktags 9–17 Uhr geöffnet. **Cafés** schließen meist um 22 Uhr, **Restaurants** gegen 23 Uhr. Dennoch blüht in der Altstadt das Nachtleben. **Kneipen und Bars** haben So.–Mi. mindestens bis Mitternacht, Do.–Sa. oft bis zum letzten Gast geöffnet. Wie vielerorts sind **Museen** montags häufig geschlossen.

Post

Wer beim Wort Post noch an handschriftliche Grüße und nicht an einen Facebook-Eintrag denkt, benötigt folgende Informationen: Eine **Postkarte** nach Deutschland kostet 0,64 Euro, ein **Brief** 0,78 Euro. In einer Filiale der lettischen Post *(pasts)* kann man aber mehr als Ansichtskarten, Briefe oder Päckchen verschicken. Dort erhält man auch **Fahrkarten** für den öffentlichen Nahverkehr und viele Letten bezahlen hier ihre Nebenkostenabrechnungen. Damit alles seine Ordnung hat, **zieht man** entsprechend seinem Anliegen **eine Nummer** und wartet, bis man aufgerufen wird. Hier zwei zentral gelegene Postfilialen:

- ✉**121** [F4] **Pasta centrs Sakta,** Brīvības bulvāris 32, geöffnet: Mo.–Fr. 7.30–19, Sa. 9–15 Uhr
- ✉**122** [F5] **Post am Hauptbahnhof,** Stacijas laukums 2, geöffnet: Mo.–Fr. 7–21, Sa. 9–20, So. 10–20 Uhr

Radfahren

Radfahren ist im Rigaer Alltag **recht beschwerlich.** Radwege gibt es in der Stadt kaum, man fährt auf Gehwegen oder zwischen den Autos auf der Straße. In der Altstadt macht das Kopfsteinpflaster das Radeln ungemütlich.

Es gibt jedoch **drei bedeutende Radrouten** in Riga: Eine führt vom Bastionshügel am Rigaer Stadtkanal ㉔ über die Skolas iela zum Brüderfriedhof (57) und dann weiter über die Brīvības iela bis zum Ethnografischen Freilichtmuseum (60). Ein zweiter Radweg verläuft nördlich der Altstadt von der Skanstes iela [cf] bis nach Mežaparks (58). Und wer Lust auf eine **längere Radtour** hat, der fährt aus der Altstadt über die Schrägseilbrücke (Vanšu tilts) [B/C4] die gut 25 Kilometer bis an den Strand von Jūrmala (62).

Fahrräder kann man entweder im klassischen **Fahrradverleih** in der Altstadt mieten oder man leiht sich ein Zweirad von SiXT rent a bicycle aus.

> **SiXT rent a bicycle,** www.sixtbicycle.lv, Tel. 67676780. An zwei Dutzend Verleihstationen in Riga stehen von Frühjahr bis Herbst die ockergelben Fahrräder von SiXT. Um ein Fahrrad auszuleihen, wählt man einfach die auf dem Rad angegebene Telefonnummer, gibt die Erkennungszahl des Fahrrads an und erhält sodann den Code, um das Schloss zu öffnen. Zurückgeben kann man das Rad an jeder beliebigen Ausleihstation, die sich z. B. an der Kreuzung von Kaļķu iela und Vaļņu iela [E4] in der Altstadt oder am Kongresszentrum im Kronvaldspark ㊲ befinden. Allerdings muss man sich vor der Nutzung per Telefon oder auf der englischsprachigen Homepage von SiXT registrieren und ein Handy sowie eine Kreditkarte besitzen. Alterna-

tiv kann man auch die App Nextbike für Smartphones nutzen. Die Ausleihgebühr beträgt 9 € am Tag oder 0,90 € für eine halbe Stunde.

S123 [D5] **Riga Bicycle,** Rātslaukums 1 (Einkaufspassage hinter dem Rathaus), www.rigabicycle.com, Tel. 67221546, geöffnet: Mo.–Fr. 10–19, Sa./So. 10–18 Uhr. Stadtfahrräder und Mountainbikes, Fahrradhelme und Radkarten gibt es im Fahrradverleih am Rathausplatz. Dort erhält man nicht nur Routentipps, sondern kann auch an geführten Radtouren zu den Sehenswürdigkeiten Rigas teilnehmen. Für Besucher mit Kindern werden familienfreundliche Ausflüge angeboten.

Schwule und Lesben

Lettland gilt nicht gerade als Paradies für Homosexuelle. Zwar können Schwule und Lesben ihren Lebensstil weitgehend legal ausleben, doch gleichgeschlechtliche Ehen sind nicht erlaubt. Gesellschaftlich wird Homosexualität zumindest in dem Maße toleriert, soweit sie nicht öffentlich zur Schau getragen wird. Beim jährlichen Marsch von Schwulen und Lesben durch die lettische Hauptstadt (*„Baltic Pride"*) jedoch kommt es immer wieder zu Ausschreitungen. Einzelne Politiker fallen zudem regelmäßig durch homophobe Äußerungen auf.

Gleichwohl gibt es in Riga eine **kleine Gayszene** sowie Treffpunkte für Schwule und Lesben, Bi- und Transsexuelle. Informationen gibt es auf der Website der Organisation Skapis (www.skapis.eu). Ein empfehlenswerter schwulenfreundlicher Klub ist:

⊕124 [H3] **Golden,** Ģertrūdes iela 33/35, www.mygoldenclub.com, geöffnet: Mi.–Do. 17–2, Fr. 21–5, Sa. 23–5 Uhr, Eintritt: Fr./Sa. 23–4 Uhr 10 €. Modisch eingerichteter Klub mit extravaganten Barkeepern, gemütlicher Raucherlounge und großer Tanzfläche. Das Golden bezeichnet sich selbst als Treffpunkt der LGBT-Gemeinde in Riga.

Sicherheit

Riga ist im Allgemeinen ein **sehr sicheres Reiseziel.** Allerdings sollte man einige Hinweise beachten. Tagsüber ist es wie in allen Touristenzielen angeraten, im **Gedränge auf dem Markt** oder im **öffentlichen Nahverkehr** auf seine Wertsachen zu achten. Vor dem Einsteigen in ein **Taxi** sollte man zudem nach dem Preis fragen.

Als unsicher gilt nachts die **Moskauer Vorstadt.** Aber auch aus den beliebten Ausgehvierteln in Alt- und Neustadt gibt es immer wieder Meldungen über kriminelle Praktiken. Diese können von überhöhten Rechnungen in Bars oder Nachtklubs über Kreditkartenbetrug bis zum Einsatz von Betäubungstropfen reichen. Es gibt sowohl **schwarze Listen** mit unseriösen Etablissements als auch eine **Auszeichnung von touristenfreundlichen Bars.** Diese können bei den **Rigaer Touristeninformationen** (s. S. 117) erfragt werden.

Eine umfangreiche Liste von **Sicherheitsmaßnahmen für das Rigaer Nachtleben** findet sich in den Reise- und Sicherheitshinweisen des Auswärtigen Amts im Internet unter www.auswaertiges-amt.de. Diese werden regelmäßig aktualisiert und sollten vor Reiseantritt zu Rate gezogen werden.

▷ *Auf Patrouille: Polizist in Rigas Neustadt*

065rg Abb.::ik

rismusbranche in Riga ist, trifft man relativ oft auf Menschen, die auch Deutsch sprechen. In der Touristeninformation (s. S. 117), in vielen Hotels, einigen Restaurants und Museen gibt es **deutschsprachiges Personal** und Informationen auf Deutsch. **Speisekarten** in Restaurants sind in der Regel immer in drei Sprachen: Lettisch, Russisch und Englisch.

Eine kleine Sammlung wichtiger lettischer Begriffe findet sich in der „Kleinen Sprachhilfe" im Anhang dieses Buches (s. S. 130). Wer sich mehr mit der lettischen Sprache beschäftigen möchte, dem sei der Sprachführer „Lettisch – Wort für Wort" aus der Kauderwelsch-Reihe des REISE KNOW-HOW Verlags empfohlen.

Sprache

Die offizielle Landessprache in Lettland ist Lettisch. In Riga allerdings spricht die Hälfte aller Einwohner zu Hause Russisch, nur gut 40 Prozent der Rigaer verständigt sich in den eigenen vier Wänden auf Lettisch. Im öffentlichen Raum, insbesondere im Stadtzentrum, dominiert aber das Lettische. Viele Menschen in Riga sprechen **sowohl Lettisch als auch Russisch.** Allerdings haben viele ältere Menschen mit russischer Muttersprache kein oder nur sehr schlecht Lettisch gelernt; einige junge Letten hingegen können andererseits kein Russisch mehr.

Im **Stadtzentrum** begegnet man häufig Menschen, die sehr gut **Englisch** sprechen. Man merkt schnell, dass viele junge Letten einige Zeit im (englischsprachigen) Ausland verbracht haben. Obwohl Englisch klar die wichtigste Fremdsprache der Tou-

Stadttouren

Touristische Stadttouren durch das Zentrum Rigas gibt es reichlich. Dabei hat man die Wahl, ob man die Sehenswürdigkeiten der Stadt **zu Fuß, per Rad oder mit dem Bus** erkunden möchte. Informationen über die verschiedenen Stadttouren gibt es auch in den Tourist-Infos (s. S. 117).

> Smileline, www.smileline.lv, Tel. 29542626. Unter einem gelben Sonnenschirm auf dem Rathausplatz ❶ warten die Stadtführer von Smileline, um mit ihren Besuchern durch die Rigaer Altstadt, ins Jugendstilviertel, in die Moskauer Vorstadt oder über den Zentralmarkt zu gehen. Die anderthalb bis zwei Stunden dauernden deutschsprachigen Stadtrundgänge beginnen täglich um 10.30 und 13 Uhr und kosten ca. 12–15 €. Gruppen können auch vorab spezielle Thementouren buchen.

> Hop-on-hop-off-Busrundfahrt, www.citytour.lv. Am Rathausplatz ❶

startet mehrmals am Tag ein weithin sichtbarer roter Doppeldeckerbus seine Rundfahrt zu den bedeutendsten Sehenswürdigkeiten Rigas. Per Audioguide wird man auf Deutsch über die Stadt informiert. Das Besondere an der Tour ist, dass man jederzeit den Bus verlassen und seine Rundfahrt später fortsetzen kann. Das Ticket zum Preis von 15 € ist 48 Stunden gültig.

› Am Livenplatz ⓯ stehen bis in die Nacht hinein junge Männer mit **Rikschas** bereit, die Besucher nicht nur durch die Altstadt fahren und etwas zu den zentralen Sehenswürdigkeiten erzählen, sondern auch den einen oder anderen Tipp fürs Nachtprogramm parat haben (Touren auf Englisch).

› **Riga Free Tour,** http://freetour.traveller. ee. Täglich um 12 Uhr startet am Eingang zur Petrikirche ❽ ein englischsprachiger Stadtrundgang, der verspricht, abseits der Rigaer Altstadt die weniger bekannten Seiten der Stadt zu zeigen. Lustig und informativ erzählen die jungen Stadtführer von ihrem Riga. Die gut zweieinhalbstündige Tour ist im Prinzip kostenlos, Trinkgeld ist aber bei Gefallen erwünscht, denn davon leben die Stadtführer.

› **LiteraTour.** Der deutsche Dichter und Übersetzer Matthias Knoll führt auf einem literarischen Rundgang durch Riga und die lettische Literatur (s. S. 19).

Telefonieren

Das Telefonieren im EU-Ausland mit dem eigenen Handy verursacht kaum noch zusätzliche Kosten. Viele Anbieter haben ihre **Roaming-Gebühren** bereits abgeschafft, für alle anderen gilt: Bis 15.06.2017 dürfen bei ein- und ausgehenden Telefonaten max. 0,05 € pro Minute auf den Heimtarif aufgeschlagen werden, bei ausgehenden SMS sind es

0,02 €. Zusätzlich können einmalige Kosten pro Gespräch anfallen. Ab Mitte 2017 werden die Roaming-Gebühren in der EU weitgehend abgeschafft sein.

Wer innerhalb Lettlands sehr viel telefonieren möchte, sollte dennoch über eine **lettische SIM-Karte** von günstigen Prepaid-Anbietern nachdenken (z. B. von Tele2 oder LMT), da diese vorteilhafte Flatrates inklusive Internetnutzung anbieten. Die Prepaid-Karten gibt es an allen Kiosken.

Vorwahlen gibt es in Lettland nicht. Die Telefonnummern sind grundsätzlich achtstellig: Mit einer 2 beginnen **Handynummern,** mit einer 6 **Festnetznummern.**

Internationale Vorwahlziffern:
› **Aus dem Ausland nach Lettland:** 00371
› **Von Lettland nach Deutschland:** 0049
› **Von Lettland nach Österreich:** 0043
› **Von Lettland in die Schweiz:** 0041

Uhrzeit

Die lokale Zeit in Lettland ist die **Osteuropäische Zeit** (**OEZ**). Das bedeutet, dass es in Lettland immer **eine Stunde später** ist als in Deutschland, Österreich oder der Schweiz. Auch in Lettland gilt die **Sommerzeit,** das heißt, am letzten Sonntag im März wird die Uhr eine Stunde vorgestellt, am letzten Sonntag im Oktober eine Stunde zurück.

Unterkunft

Wer nach einer Unterkunft sucht, hat auch in Riga die Wahl zwischen einem preiswerten Schlafplatz in einem der vielen **Hostels, privaten oder kommerziellen Appartements oder klassischen Hotels.**

Über die einschlägigen Internetportale lassen sich die vielfältigen Angebote finden, manchmal sind darunter – besonders in der Nebensaison – auch unerwartete Schnäppchen:

> www.apartments-riga.com
> (lokaler Vermittler von Appartements)

Vor Ort bieten auch die **Touristeninformationen** (s. S. 117) Hilfe bei der Suche nach einer Unterkunft an.

Nachfolgend finden sich einige von uns **besonders empfohlene Hotelunterkünfte**. Die Einteilung in Preiskategorien erfolgt auf Grundlage der Zimmerpreise in der Hochsaison (Stand: 2016). Eine **rechtzeitige Buchung** ist aufgrund der hohen Nachfrage in dieser Zeit unbedingt ratsam. Im Herbst und Winter dagegen sind Hotelzimmer wesentlich günstiger und meist auch kurzfristig verfügbar.

Unterkunftsempfehlungen

Gut und günstig

🏠**125** [dh] **Dodo Hotel** €, Jersikas iela 1, Tram 3, 7, 9 bis Haltestelle „Daugavpils iela", www.dodohotel.lv, Tel. 67240220. Einfaches und preiswertes Hotel in der Moskauer Vorstadt mit nicht sehr großen, aber durchaus gemütlichen Zimmern. Für Reisende mit Kindern gibt es auch spezielle Familienzimmer. Zur Altstadt gelangt man mit der Straßenbahn oder in einer guten halben Stunde zu Fuß.

🏠**126** [A1] **Hotel Vantis** €, Balasta dambis 78, Bus 13, 37, 47, 53 u. Trolleybus 5, 9, 12, 25 bis Haltestelle „Ķipsala", www. hotelvantis.lv, Tel. 67613113. Wer auf der Suche nach einem einfachen Hotel mit wunderschönem Blick über die Düna ist, sollte sich das Hotel Vantis auf der Insel Ķipsala **50** anschauen. Allerdings ist der Anschluss an den ÖPNV eher schlecht, mit dem Auto dagegen ist es sehr gut erreichbar.

🏠**127** [E5] **The Naughty Squirrel Backpackers Hostel** €, Kalēju iela 50, www. thenaughtysquirrel.com, Tel. 67220073. Seit Jahren gilt dieses Hostel als eines der besten in Riga. Im Herzen der Altstadt bietet die von Australiern und Letten betriebene Herberge das richtige Ambiente für junge Backpacker. Neben diversen Schlafsälen gibt es auch private Doppelzimmer.

Besonders gut gelegen

🏠**128** [G7] **Hanza Hotel** €€€, Elijas iela 7, Tram 3, 7, 9 bis Haltestelle „Turģeņeva iela", www.hanzahotel.lv, Tel. 67796040. Das Hotel in der Moskauer Vorstadt befindet sich etwas außerhalb der Altstadt, doch gibt es auch hier einiges zu entdecken. Aus den Fenstern vieler Zimmer schaut man direkt auf die Rigaer Jesuskirche **44**. Nur wenige Gehminuten entfernt ist der Zentralmarkt **40**, aus dessen frischen Waren sich das Frühstücksbüfett zusammensetzt. Wer ein gehobenes Hotel zu einem fairen Preis sucht, kann hier fündig werden. Mit zugehörigem Restaurant.

🏠**129** [E5] **Hotel Ekes Konvents** €€, Skārņu iela 22, www.ekeskonvents.lv, Tel. 67358393. Wer hier nächtigt, verbringt die Nacht in wahrhaft historischen Mauern. Bereits im 15. Jahrhundert diente das Haus als Herberge für Wanderer (siehe Eckes Konvents **12**). So kommt in den kleinen Zimmern mit niedrigen Decken ein echtes Mittelaltergefühl im Urlaub auf (entsprechend gibt es auch keinen Fernseher!). Wer sich in gemütlicher Enge wohlfühlt und dem möglichen Trubel nächtlich feiernder Altstadtbesucher vor dem Haus trotzt, findet in dem Hotel einen ganz besonderen Ort zum Schlafen.

🏠**130** [E5] **Hotel Konventa Sēta** €€€, Kalēju iela 9–11, www.hotelkolonna.com/konventa-seta, Tel. 67087507. Das Hotel „Konventhof", untergebracht in der gleichnamigen Sehenswürdigkeit **11** im

Preiskategorien

€	bis 50 €
€€	50 bis 75 €
€€€	ab 75 €

Die Kategorien gelten für ein Doppelzimmer mit Bad und Frühstück.

Herzen von Rigas historischer Altstadt, ist
so etwas wie ein Geheimtipp in der mitt-
leren Preiskategorie. Viele Standardzim-
mer sind ohne Aufpreis mit einer kleinen
Küche ausgestattet – es lohnt sich, bei
der Reservierung nachzufragen!

🏠**131** [E5] **Radi un Draugi** €€€, Mārstaļu
iela 1, www.draugi.lv, Tel. 67820200.
„Freunde und Verwandte" lautet der
Name dieses Altstadthotels ins Deutsche
übersetzt. Gegründet wurde es in den
1990er-Jahren von Exilletten aus den
USA, die eine Unterkunft bei Heimatbe-
suchen benötigten. Noch immer betreibt
ihr Verein das Hotel, das sich mit einem
angeschlossenen Restaurant über drei
Häuser in der Mārstaļu iela, im Herzen
der Altstadt, erstreckt.

Ausgefallene Konzepte

🏠**132** [F2] **Art Hotel Laine** €€, Skolas iela 11,
www.laine.lv, Tel. 67289823. Nur zehn
Minuten von der historischen Altstadt
entfernt befindet sich das ganz der Kunst
verschriebene Art Hotel Laine. Im Hotel
hängt eine ganze Galerie lettischer Künstler, deren Bilder nicht nur schön ausse-
hen, sondern auch gekauft werden können. Der Hotelbesitzer träumt davon,
bald einige Zimmer von Studierenden der
Rigaer Kunstakademie gestalten zu lassen. Schon jetzt sind die Räume modern
und gemütlich eingerichtet, die Angestell-
ten nett und die Speisen im angeschlossenen Restaurant mit Dachterrasse sehr
lecker. Von einigen Zimmern bietet sich

Buchungsportale

Neben Buchungsportalen für **Hotels**
(z. B. www.booking.com, www.hrs.de
oder www.trivago.de) bzw. für **Hostels**
(z. B. www.hostelworld.de oder www.
hostelbookers.de) gibt es auch
Anbieter, bei denen man **Privatun-
terkünfte** buchen kann. Portale wie
www.airbnb.de, www.wimdu.de oder
www.9flats.com vermitteln Wohnun-
gen, Zimmer oder auch nur einen
Schlafplatz auf einer Couch.

ein schöner Blick über die Dächer der
Neustadt. Familien mit Kindern sind im Art
Hotel Laine herzlich willkommen.

🏠**133** [D5] **Hotel Justus** €€€, Jauniela 24,
www.hoteljustus.lv, Tel. 67212404.
Ein urig-rustikales Boutiquehotel in der
Rigaer Altstadt, dessen jahrhundertealte
Gemäuer für einen ganz eigenen Charme
sorgen. Die Zimmer sind gemütlich im
Stile des ausgehenden 19. Jahrhunderts gestaltet und das Personal ist sehr
freundlich. Aufgrund der zentralen Lage
sind viele Sehenswürdigkeiten, Kneipen
und Restaurants nur wenige Schritte entfernt, manchmal kann es abends in der
Altstadt aber auch etwas laut werden.

Verhaltenstipps

> Ist man **bei Letten eingeladen**, kommt
man grundsätzlich **nicht mit leeren Händen**. Sehr viel Freude bereitet ein kleiner
Blumenstrauß. Vorsicht: unbedingt eine
ungerade Anzahl von Blumen verschen-
ken (s. S. 41)!

> Der Genuss von **Alkohol in der Öffent-
lichkeit** ist außerhalb von Gaststätten
verboten (s. S. 82).

> Die **historische Erfahrung**, die Lettland
wie seine baltischen Nachbarn Estland

und Litauen im 20. Jahrhundert machen musste, unterscheidet sich grundlegend von den meisten anderen europäischen Staaten. Während die Besatzung durch die Nazis im Zweiten Weltkrieg viel Leid mit sich brachte, ist im kollektiven Bewusstsein die sowjetische Okkupation doch weit mehr präsent. Menschen, die die Deportation nach Sibirien am eigenen Leib erleben mussten oder Angehörige verloren, gelten Hammer und Sichel als Symbol eines Unrechtsregimes gleich dem Hakenkreuz. Die schwierige Geschichte prägt das Zusammenleben von Letten und Russen bis heute. Der Besucher, dem diese historische Erfahrung fremd ist, sollte sich **mit vorschnellen Urteilen und Belehrungen** an seine Gastgeber, seien sie Letten oder Russen, **zurückhalten** und sich zunächst um ein Verstehen bemühen.

Verkehrsmittel

Allgemeines zum Verkehrsnetz

In der **Altstadt** fahren **weder Busse noch Straßenbahnen**, dort bewegt man sich am besten zu Fuß. Und da sich die meisten Sehenswürdigkeiten in oder um die Altstadt herum befinden, ist man nicht unbedingt auf öffentliche Verkehrsmittel angewiesen.

Wer **außerhalb des Stadtzentrums** wohnt oder die nicht so zentral gelegenen Sehenswürdigkeiten besuchen möchte, ist auf **Busse, Trolleybusse** (Oberleitungsbusse) **und Straßenbahnen** angewiesen. Aber Achtung: Kurz nach 23 Uhr fahren diese ins Depot, später kommt man nur noch mit dem Taxi nach Hause. Zwar fahren am Wochenende und an Feiertagen ab Mitternacht **Nachtbusse** zu jeder vollen Stunde vom Hauptbahnhof (*Stacijas laukums* bzw. *Centrālā stacija*), sie

decken allerdings nicht das ganze Stadtgebiet ab.

Fahrplanauskünfte (auf Englisch) gibt das Rigaer Verkehrsunternehmen **Rīgas Satiksme** auf seiner Internetseite unter www.rigassatiksme.lv.

Tickets

Direkt **beim Fahrer** bekommt man zum fast doppelten Preis ein Ticket für eine einfache Fahrt. Für großes Gepäck muss man ein zusätzliches Ticket lösen.

An **Fahrkartenautomaten**, am **Kiosk** (z. B. bei der Kette Narvesen) oder bei der **Post** lassen sich **elektronische Tickets** („e talons") erwerben. Diese kann man mit einem **Guthaben** für eine unterschiedliche Anzahl an Fahrten oder eine bestimmte zeitliche Gültigkeit (z. B. drei Tage) aufladen. Im Bus, im Trolleybus oder in der Tram hält man das Ticket dann kurz an einen kleinen Automaten, um die Fahrtkosten abzubuchen. Da die **Fahrkartenautomaten** ein deutschsprachiges Menü besitzen (z. B. Tramstation an der Nationaloper ㉕), lassen sich die Tickets dort sehr bequem kaufen. Allerdings kann man nicht mit Bargeld bezahlen, sondern nur mit der Maestro-(EC-)Karte. Hier die wichtigsten Ticketpreise:

> **Einzelfahrschein:** 1,15 €
(beim Fahrer 2 €)
> **10er-Ticket:** 10,90 €
(gültig für 10 Fahrten)
> **20er-Ticket:** 20,70 €
(gültig für 20 Fahrten)
> **Tagesticket für alle öffentlichen Verkehrsmittel:** 5 €
> **3-Tage-Ticket** für alle öffentlichen Verkehrsmittel: 10 €
> **5-Tage-Ticket** für alle öffentlichen Verkehrsmittel: 15 €

Taxi

Es gibt zahlreiche Taxifirmen in Riga, **offizielle Taxis** haben **gelbe Nummernschilder.** Es empfiehlt sich, vor dem Einsteigen den ungefähren Fahrpreis zu erfragen sowie auf ein eingeschaltetes Taxameter zu achten. Ein großer, seriöser Anbieter ist **Baltic Taxi.** Hier sind Bestellungen auch über das Internet möglich. Nur weibliche Fahrer gibt es bei dem Unternehmen **Lady Taxi.**

Tagsüber dürfen Taxifahrer einen **Grundpreis** von höchstens 2,15 Euro verlangen, der **Kilometerpreis** ist auf 0,70 Euro begrenzt.

> Baltic Taxi, www.baltictaxi.lv,
> Tel. 20008500
> Lady Taxi, www.ladytaxi.lv,
> Tel. 27800900

Wetter und Reisezeit

Das Klima in Riga ist feucht-kontinental: Während es im Sommer warm und feucht ist, sollte man sich **in den Wintermonaten** Dezember bis Februar auf Temperaturen von bis zu –20 °C, vereinzelt sogar bis zu –25 °C einstellen.

Der Frühling beginnt später als in Deutschland, der Herbst früher. Die besten Reisemonate liegen daher **zwischen Mai und September.** Selbst im Sommer kann das Wetter sehr launisch sein: Innerhalb kürzester Zeit wechseln sich strahlender Sonnenschein und Regengüsse ab. Eine gute Regenjacke gehört daher unbedingt ins Reisegepäck. Ein Ausflug in den Ostsee-Kurort Jūrmala ⑫ lohnt sich auch bei kühlerem Wetter für ausgedehnte Strandspaziergänge. Im August kann das Wasser Badetemperaturen von rund 18 °C erreichen, im Juli und September ist es kühler.

Eine Reise nach Riga **Ende Juni** bietet die Gelegenheit, den Höhepunkt des Jahres für die Letten mitzuerleben: das dortige **Mittsommerfest,** das in Lettland *Līgo* oder *Jāņi* heißt (s. Exkurs S. 95).

Wer eine Reise im Sommer nicht einrichten kann, sollte vielleicht die Weihnachtszeit in Erwägung ziehen – die Chance auf **weiße Weihnachten** ist ungleich höher als in Deutschland. Und in der Stadt, die für sich in Anspruch nimmt, den Weihnachtsbaum erfunden zu haben (s. Exkurs S. 17), muss ganz einfach Festtagsstimmung aufkommen!

Durchschnitt	**Wetter in Riga**											
Maximale Temperatur	–3°	–2°	3°	10°	17°	21°	22°	21°	16°	10°	4°	0°
Minimale Temperatur	–8°	–8°	–4°	1°	6°	10°	12°	12°	8°	4°	0°	–5°
Regentage	18	14	14	13	11	12	14	14	16	16	18	20
	Jan	Febr	März	Apr	Mai	Juni	Juli	Aug	Sept	Okt	Nov	Dez

ANHANG

Kleine Sprachhilfe Lettisch

Lettisch gehört zur **baltischen Sprachgruppe** innerhalb der indo-europäischen Sprachen. Es ist lediglich mit dem Litauischen und dem im 17. Jahrhundert ausgestorbenen Altpreußischen eng verwandt. Für den Besucher lassen sich trotzdem einige bekannte Wörter im Lettischen entdecken, da viele Lehnwörter aus dem Deutschen und in jüngerer Zeit auch aus dem Englischen in die Sprache aufgenommen wurden.

Dennoch fällt es mitunter nicht so leicht, sich ein paar Wörter für den Riga-Urlaub zu merken. Große Freude bereitet es deshalb den Letten, wenn man wenigstens ein paar **Grundbegriffe** kennt. Mit den Wörtern für „Guten Tag" *(Labdien)* und „danke" *(paldies)* kommt man schon recht weit, ohne einen Intensivkurs Lettisch belegen zu müssen.

Betont werden die allermeisten lettischen Wörter auf der ersten Silbe.

Um tiefer in die Sprache einzutauchen, empfiehlt sich der REISE KNOW-HOW-Band „Lettisch – Wort für Wort".

Ausspracheregeln

ā, ē, ī, ū	lang ausgesprochener Vokal
o	Zwischenlaut zwischen „u" und „o" wie in „Uhr"
av	„au" wie in „Bauch"
ie	nacheinander gesprochenes „i" und „e"
ev	nacheinander gesprochenes „e" und „u"
c	wie „z" in „Zelt"
č	„tsch" wie in „Tschechien"
s	stimmlos wie „ß" in „Maß"
š	„sch" wie in „Schule"
z	stimmhaftes „s" wie in „Rose"
ž	wie „g" in „Blamage"
dž	„dsch" wie in „Dschungel"
v	wie „w" in „Wein"
ģ, ķ, ļ, ņ	weich gesprochen: „dj", „kj", „lj", „nj"

Die wichtigsten Wörter und Floskeln

jā	ja
nē	nein
lūdzu	bitte
paldies	danke
labi	gut
Atvainojiet!	Entschuldigen Sie!
Sveiks! (m)/Sveika! (w)	Hallo! (für eine Person)
Sveiki! (m)/Sveikas! (w)	Hallo! (für mehrere Personen)
Čau!, Atā!	Tschüss!
Labrīt!	Guten Morgen!
Labdien!	Guten Tag!
Labvakar!	Guten Abend!
Uz redzēšanos!	Auf Wiedersehen!
Ar labu nakti!	Gute Nacht!
Labu apetīti!	Guten Appetit!
Priekā!	Zum Wohl!
Es nesaprotu latviešu valodu.	Ich verstehe kein Lettisch.
Es tevi mīlu.	Ich liebe dich.

+++ Die wichtigsten Wörter mit dem Bonus-Audiotrack des Kauderwelsch-

Zahlen

viens	1
divi	2
trīs	3
četri	4
pieci	5
seši	6
septiņi	7
astoņi	8
deviņi	9
desmit	10
vienpadsmit	11
divpadsmit	12
trīspadsmit	13
četrpadsmit	14
piecpadsmit	15
sešpadsmit	16
septiņpadsmit	17
astoņpadsmit	18
deviņpadsmit	19
divdesmit	20
trīsdesmit	30
četrdesmit	40
piecdesmit	50
sešdesmit	60
septiņdesmit	70
astoņdesmit	80
deviņdesmit	90
simts	100
tūkstotis	1000
miljons	1.000.000

Monate

janvāris	Januar
februāris	Februar
marts	März
aprīlis	April
maijs	Mai
jūnijs	Juni
jūlijs	Juli
augusts	August
septembris	September
oktobris	Oktober
novembris	November
decembris	Dezember

Wochentage

pirmdiena	Montag
otrdiena	Dienstag
trešdiena	Mittwoch
ceturtdiena	Donnerstag
piektdiena	Freitag
sestdiena	Samstag
svētdiena	Sonntag

Zeit

Cik ir pulkstenis?	Wie spät ist es?
šodien	heute
vakar	gestern
rīt	morgen
rīts	der Morgen
pusdiena	der Mittag
vakars	der Abend
nakts	die Nacht

Fragewörter

Vai ...?	einleitendes Fragewort
Kas?	Wer?/Was?
Kur?	Wo?
Kā?	Wie?
Kāpēc?	Warum?
Kad?	Wann?
Cik?	Wie viel?
Uz kurieni?	Wohin?
No kurienes?	Woher?

Unterwegs

pa kreisi	nach links
pa labi	nach rechts
taisni	geradeaus
tuvu	nah
tālu	weit
ieeja	Eingang
izeja	Ausgang
Atvainojiet, kur ir ...?	Entschuldigung, wo ist ...?
bagāža	Gepäck
māja	Haus

AusspracheTrainers auf PC oder Smartphone lernen (siehe Umschlag hinten) +++

stacija	Bahnhof
lidosta	Flughafen
osta	Hafen
pietura	Haltestelle
tilts	Brücke
vilciens	Zug
mašīna	Auto
lidmašīna	Flugzeug
prāmis	Fähre
krustojums	Kreuzung
pase	Pass
tualete	Toilette

Einkaufen

veikals	Geschäft/Laden
sviests	Butter
maize	Brot
piens	Milch
siers	Käse
olas	Eier
gaļa	Fleisch
desa	Wurst
zivs	Fisch
dārzeņi	Gemüse
tomāti	Tomate
gurķi	Gurke
augļi	Obst
āboli	Apfel
bumbieri	Birne
banāni	Banane
vīnogas	Weintraube
Cik maksā ...?	Wie viel kostet ...?

Im Restaurant

galds	Tisch
brokastis	Frühstück
pusdienas	Mittagessen
vakariņas	Abendbrot
zupa	Suppe
gaļas ēdiens	Fleischgerichte
zivs ēdiens	Fischgerichte
veģetārs ēdiens	Vegetarische Gerichte
piedevas	Beilagen
kartupeļi	Kartoffeln

makaroni	Nudeln
rīsi	Reis
frī kartupeļi	Pommes frites
pīrādziņi ar speķi	Teigtaschen mit Speck
pelēkie zirņi ar speķi	Graue Erbsen mit Speck
grūbu putra	Graupenbrei
cukurs	Zucker
pipari	Pfeffer
sāls	Salz
etiķis	Essig
eļļa	Öl
dzērieni	Getränke
tēja	Tee
kafija (ar pienu)	Kaffee (mit Milch)
alus	Bier
sula	Saft
sarkanvīns	Rotwein
baltvīns	Weißwein
minerālūdens (ar gāzi/bez gāzes)	Mineralwasser (mit/ohne Kohlensäure)
Lūdzu, rēķinu!	Die Rechnung, bitte!

Unterkunft

istaba	Zimmer
atslēga	Schlüssel
duša	Dusche
Vai Jums ir brīva istaba?	Haben Sie freie Zimmer?
Cik maksā istaba ar vannu?	Wie viel kostet ein Zimmer mit Bad?

Notfall

Palīgā!	Hilfe!
ārsts	Arzt
aptieka	Apotheke
zāles	Medikament
ātrās palīdzības mašīna	Krankenwagen
policija	Polizei
slimnīca	Krankenhaus
nelaimes gadījums	Unfa

Register

Die Autoren

Martin Brand besuchte Riga das erste Mal im Dezember 2001. Es war kalt, die Stadt war grau und doch versprühte sie unerwartet einen hanseatischen Charme wie Lübeck oder Hamburg. Auf der stürmischen Rückreise über die Ostsee mit der Fähre fast gesunken, schaute er auf seinen folgenden Reisen durch Europas Osten immer wieder in der altehrwürdigen, faszinierenden Ostseemetropole vorbei. Von ihm erschienen bei REISE KNOW-HOW außerdem die Stadtführer CityTrip Krakau und CityTrip Danzig (Letzteres zusammen mit Anna Brixa). Zurzeit promoviert Martin Brand an der Universität Bielefeld. Weitere Infos auf www.martin-brand.de.

Robert Kalimullin lernte Riga in seiner Studentenzeit im benachbarten Estland kennen. Während er sich in den Klang der estnischen Sprache verliebte, zog ihn Riga als einzige Metropole des Baltikums mit ihrem urbanen Charme geradezu magisch an. Über dieses besondere Verhältnis sinniert er gerne bei einem frühsommerlichen Spaziergang entlang des Rigaer Stadtkanals. Wenn er nicht gerade in Osteuropa unterwegs ist, lebt und arbeitet Robert Kalimullin als Journalist und Autor in Berlin und Moskau. Bei REISE KNOW-HOW verfasste er auch den CityTrip Krakau. Mehr unter www.robertkalimullin.de.

Leysan Kalimullina begleitete die Autoren nicht nur mit der Kamera, sondern war auch an den Recherchen für den Reiseführer beteiligt.

Herzlich danken möchten wir **Ilze Krokša** aus Riga für ihre liebevolle Hilfe und unschätzbar wertvollen Tipps, die diesen Stadtführer sehr bereichert haben.

Impressum

Martin Brand, Robert Kalimullin

CityTrip Riga

© REISE KNOW-HOW Verlag
   Peter Rump GmbH 2013, 2014
**3., neu bearbeitete und
   komplett aktualisierte Auflage 2016**

Alle Rechte vorbehalten.

ISBN 978-3-8317-2793-3
PRINTED IN GERMANY

Druck und Bindung:
   Media-Print, Paderborn

Herausgeber: Klaus Werner
Layout: amundo media GmbH (Umschlag, Inhalt),
   Peter Rump (Umschlag)
Lektorat: amundo media GmbH
Karten: Ingenieurbüro B. Spachmüller,
   amundo media GmbH
Anzeigenvertrieb: KV Kommunalverlag GmbH &
   Co. KG, Alte Landstraße 23, 85521 Ottobrunn,
   Tel. 089 928096-0, info@kommunal-verlag.de
Kontakt: Osnabrücker Str. 79, 33649 Bielefeld,
   info@reise-know-how.de

Alle Angaben in diesem Buch sind gewissenhaft geprüft. Preise, Öffnungszeiten usw. können sich jedoch schnell ändern. Für eventuelle Fehler übernehmen Verlag wie Autoren keine Haftung.

Bildnachweis
Umschlagvorderseite: fotolia.com © Mexrix | Umschlagklappe rechts: Leysan Kalimullina
Soweit ihre Namen nicht vollständig am Bild vermerkt sind, stehen die Kürzel an den Abbildungen für die folgenden
Fotografen, Firmen und Einrichtungen. Martin Brand: mb | Ilze Krokša: ik | Leysan Kalimullina: lk | Robert Kalimullin: rk |
Markus Bingel: bi | fotolia.com: fo

Das komplette Programm zum Reisen und Entdecken von
REISE KNOW-HOW

- **Reiseführer** – alle praktischen Reisetipps von kompetenten Landeskennern

- **CityTrip** – kompakte Informationen für Städtekurztrips

- **CityTrip**PLUS – umfangreiche Informationen für ausgedehnte Städtetouren

- **InselTrip** – kompakte Informationen für den Kurztrip auf beliebte Urlaubsinseln

- **Wohnmobil-Tourguides** – alle praktischen Reisetipps für Wohnmobil-Reisende

- **Wanderführer** – exakte Tourenbeschreibungen mit Karten und Anforderungsprofiler

- **KulturSchock** – Orientierungshilfe im Reisealltag

- **Kauderwelsch Sprachführer** – vermitteln schnell und einfach die Landessprache

- **Kauderwelsch plus** – Sprachführer mit umfangreichem Wörterbuch

- **world mapping project**™ – aktuelle Landkarten, wasserfest und unzerreißbar

- **Edition REISE KNOW-HOW** – Geschichten, Reportagen und Abenteuerberichte

Liste der Karteneinträge

●101 [F6] Rīgas starptautiskā autoosta S. 111

🅿102 [F3] Parkplatz Brīvības iela S. 112

🅿103 [D4] Parkhaus Jēkaba Arkāde S. 112

●104 [E5] Hertz S. 113

●105 [F3] Sixt S. 113

●106 [F4] Deutsche Botschaft Riga (Vācijas vēstniecība Rīgā) S. 113

●107 [D2] Österreichische Botschaft Riga (Austrijas vēstniecība Rīgā) S. 114

●108 [D2] Schweizerische Botschaft Riga (Šveices Konfederācijas vēstniecība Rīgā) S. 114

❶109 [D5] Rigaer Touristen-informationszentrum S. 117

❶110 [F6] Touristeninformation Busbahnhof S. 117

❶111 [E5] Touristeninformation Livenplatz S. 117

@112 [G3] Copy Expert Blaumanis S. 118

@113 [F4] Copy Expert Merķelis S. 118

❶114 [D4] Goethe-Institut Riga S. 118

✚115 [df] Veselības centrs 4 (Gesundheitszentrum 4) S. 119

✚116 [F2] ARS Klinik S. 119

✚117 [cg] Zobārstniecības centrs Svenata S. 119

✚118 [E5] Mēness aptieka S. 119

◐119 [G4] Latvijas Leļļu teātris (Lettisches Puppentheater) S. 120

✉121 [F4] Pasta centrs Sakta S. 121

✉122 [F5] Post am Hauptbahnhof S. 121

🅂123 [D5] Riga Bicycle S. 122

◉124 [H3] Golden S. 122

🏰125 [dh] Dodo Hotel S. 125

🏰126 [A1] Hotel Vantis S. 125

🏰127 [E5] The Naughty Squirrel Backpackers Hostel S. 125

🏰128 [G7] Hanza Hotel S. 125

🏰129 [E5] Hotel Ekes Konvents S. 125

🏰130 [E5] Hotel Konventa Sēta S. 125

🏰131 [E5] Radi un Draugi S. 126

🏰132 [F2] Art Hotel Laine S. 126

🏰133 [D5] Hotel Justus S. 126

Zeichenerklärung

❶	Hauptsehenswürdigkeit
[D5]	Verweis auf Planquadrat im City-Faltplan
✚ ⊕	Arzt, Apotheke, Krankenhaus
◐	Bar, Bistro, Klub, Treffpunkt
◔	Biergarten, Pub, Kneipe
🄑	Bibliothek
◖	Café
@	Copy-Shop
𝚤	Denkmal
†	Friedhof
◔	Galerie
◼	Geschäft, Kaufhaus, Markt
🏰	Hotel, Unterkunft
◑	Imbiss, Bistro
❶	Informationsstelle
🏰	Jugendherberge, Hostel
🄚	Kino
⇨	Kirche
🏛	Museum
◉	Musikszene, Disco, Klub
🅿 🅿	Parkplatz
⊠	Postamt
◍	Restaurant
●	Sonstiges
🅂	Sporteinrichtung
✡	Synagoge
🎭◐○	Theater
◕	Vegetarisches Restaurant
○	Straßenbahnhalt
—	Stadtspaziergang (s. S. 14)
◯	Shoppingareal
◯	Gastro- und Nightlife-Areal

Hier nicht aufgeführte Nummern liegen außerhalb der abgebildeten Karten. Ihre Lage kann aber wie die von allen Ortsmarken im Buch mithilfe der Web-App angezeigt werden (s. S. 143).

Schreiben Sie uns

Dieses Buch ist gespickt mit Adressen, Preisen, Tipps und Daten. Unsere Autoren recherchieren unentwegt und erstellen alle zwei Jahre eine komplette Aktualisierung, aber auf die Mithilfe von Reisenden können sie nicht verzichten. Darum: Teilen Sie uns bitte mit, was sich geändert hat oder was Sie neu entdeckt haben. Gut verwertbare Informationen belohnt der Verlag mit einem Sprachführer Ihrer Wahl aus der Reihe „Kauderwelsch".

Kommentare übermitteln Sie am einfachsten, indem Sie die Web-App zum Buch aufrufen (siehe Umschlag hinten) und die Kommentarfunktion bei den einzelnen auf der Karte angezeigten Örtlichkeiten oder den Link zu generellen Kommentaren nutzen. Wenn sich Ihre Informationen auf eine konkrete Stelle im Buch beziehen, würde die Seitenangabe uns die Arbeit sehr erleichtern. Unsere Kontaktdaten entnehmen Sie bitte dem Impressum.

Riga mit PC, Smartphone & Co.

QR-Code auf dem Umschlag scannen oder **www.reise-know-how.de/citytrip/riga16** eingeben und die **kostenlose Web-App** aufrufen (Internetverbindung zur Nutzung nötig)!

★ **Anzeige der Lage und Satellitenansicht aller** beschriebenen Sehenswürdigkeiten und weiterer Orte
★ **Routenführung** vom aktuellen Standort zum gewünschten Ziel
★ **Exakter Verlauf** des empfohlenen Stadtspaziergangs
★ **Audiotrainer** der wichtigsten Wörter und Redewendungen
★ **Updates** nach Redaktionsschluss

GPS-Daten zum Download

Auf der Produktseite dieses Titels unter www.reise-know-how.de stehen die GPS-Daten aller Ortsmarken als KML-Dateien zum Download zur Verfügung.

Stadtplan für mobile Geräte

Um den Stadtplan auf Smartphones und Tablets nutzen zu können, empfehlen wir die App „PDF Maps" der Firma Avenza™. Der Stadtplan wird aus der App heraus geladen und kann dann mit vielen Zusatzfunktionen genutzt werden.

Liniennetz Straßenbahn Riga

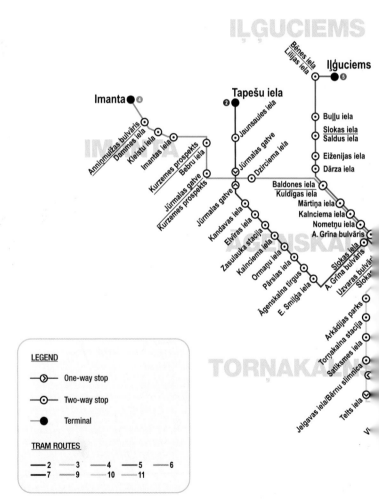

ILĢUCIEMS

IMANTA

ĀGENSKALNS

TORŅAKALNS

LEGEND

—◉→ One-way stop

—◉— Two-way stop

—●— Terminal

TRAM ROUTES

— 2   — 3   — 4   — 5   — 6
— 7   — 9   — 10   — 11